SNOOPY
ET SES AMIS

DES AMIS POUR LA VIE

Charles M. Schulz

#1

PRESSES AVENTURE

Peanuts © 2003 by United Feature Syndicate, Inc.
www.snoopy.com
Paru sous le titre original de : It's a dog's life, Snoopy

Publié par Presses Aventure, une division de
Les Publications Modus Vivendi inc.
3859, autoroute des Laurentides
Laval (Québec)
Canada
H7L 3H7

Design de la couverture : Paige Braddock, Charles M. Schulz Creative Associates
Infographie : Modus Vivendi
Traduction : Jean-Robert Saucyer
Révision des textes : Jeanne Lacroix

Dépôt légal, 1er trimestre 2003
Bibliothèque nationale du Québec
Bibliothèque nationale du Canada

ISBN : 2-89543-114-0

Nous reconnaissons l'aide financière du gouvernement du Canada par l'entremise du Programme d'aide au développement de l'industrie de l'édition (PADIÉ) pour nos activités d'édition.
Gouvernement du Québec — Programme de crédit d'impôt pour l'édition de livres — Gestion SODEC

DES AMIS
POUR LA VIE

PRESSES AVENTURE

PRENDS GARDE !

SAPRISTI !

TU N'AURAIS PAS DÛ CRIER. ÇA M'A RENDU NERVEUX.

1-4-98

ET AUCUNE LETTRE D'AMOUR NE TOMBA..

FLÛTE, LA TEMPÊTE A REDOUBLÉ D'INTENSITÉ.

IL FAUDRAIT QUE QUELQU'UN S'AVENTURE JUSQU'À LA BOÎTE À LETTRES.

QUELQU'UN QUI NE FAIT PAS UN PLAT DE LA MOINDRE CHOSE.

ET CESSE DE HURLER !

JE NE HURLAIS PAS. JE N'AI PAS DIT MOT.

ET CESSE DE NE PAS DIRE MOT !

6

QUEL PROJET SENSASS !

COLORIAGE, DÉCOUPAGE, COLLAGE ! DESSINER LES ARBRES ! RE-COLLAGE ET RE-DÉCOUPAGE !

QUELLE MÉTHODE D'APPRENTISSAGE ! UN AUTRE TOUR DE FORCE SIGNÉ MADAME !

1/8 '98

SON BONHEUR FAIT AUSSI LE NÔTRE...

OUI, MADAME, JE VEUX VOIR LA DIRECTRICE...

1-9-98

JE VEUX LUI MONTRER MON COLORIAGE.

ELLE NE REÇOIT PAS LES SIMPLES SOLDATS ?

IL Y A QUELQU'UN ?

1-10-98

VOILÀ UNE BONNE IDÉE ! QUAND IL GÈLE À PIERRE FENDRE, RESTER DANS SON IGLOO ET FAIRE DES BISCUITS AUX PÉPITES DE CHOCOLAT...

CET EXAMEN EST DIFFICILE.

1-12

CE N'EST PAS UN EXAMEN, MONSIEUR. ON DEMANDE SIMPLEMENT L'ANNÉE DE NOTRE NAISSANCE...

TROP TARD ! J'AI DÉJÀ INSCRIT 1492 !

ON PRÉTEND QU'IL N'Y A PAS DEUX FLOCONS SEMBLABLES...

1-13

RIDICULE ! CE MATIN SEULEMENT, J'EN AI VU QUATRE QUI ÉTAIENT EXACTEMENT SEMBLABLES...

MIEUX, ILS ÉTAIENT DE LA MÊME COULEUR !

SCHULZ

ALLÔ !

BONJOUR SALLY, C'EST PATTY. JE TÉLÉPHONE AU SUJET DE LA SOIRÉE DANSANTE...

1-14

JE CRAINS QUE CHARLIE REFUSE DE M'ACCOMPA-GNER, N'EST-CE PAS ? NON, J'IMAGINE QU'IL NE VOUDRAIT PAS...

QUOI QU'IL EN SOIT, DIS-LUI QUE JE SONGEAIS À L'INVITER...

TU ES PRESQUE ALLÉ À UNE SOIRÉE DANSANTE.

SCHULZ

CHARLES EST LÀ ? JE VEUX L'INVITER À LA SOIRÉE DANSANTE DE L'ÉCOLE...

JE DOUTE CEPENDANT QU'IL CONSENTE À M'ACCOMPAGNER, ALORS NE L'ENNUIE PAS AVEC CETTE HISTOIRE.

POUR QUELQU'UN QUI NE SORT JAMAIS, TU MÈNES UNE VIE TRÈS ACTIVE.

PATTY, C'EST CHARLIE. J'APPRENDS QUE TU VEUX M'INVITER À LA SOIRÉE DANSANTE ?...

LA SOIRÉE AVAIT LIEU HIER, CHARLIE. PEUT-ÊTRE L'AN PROCHAIN, HEIN ?

ENTENDU ! L'AN PROCHAIN. JE RÉSERVE LA DERNIÈRE VALSE.

« LA DERNIÈRE VALSE » ?

QUEL DON JUAN TU FAIS, FRÉROT !

FACILE DE JOUER LES DON JUAN QUAND ON N'A PAS À S'EXÉCUTER !

COMMENT LES CHOSES SE SONT-ELLES PASSÉES À LA COUR ?

J'AI DEMANDÉ AU JUGE LA PERMISSION DE M'APPROCHER DE LA BARRE...

IL A REFUSÉ ET M'A DIT DE M'EN TENIR À L'ARRIÈRE-COUR.

PEANUTS.

par SCHULZ

CHARLIE BROWN, DEMANDE À TON CHIEN DE NE PAS ME DÉVISAGER !

SI TU PARTAGES TON GOÛTER AVEC LUI, PEUT-ÊTRE S'EN IRA-T-IL.

1-18

ENCORE TOI ?

COMMENT SAIS-TU QUE C'EST MOI ?

CET ARTICLE PORTE SUR LES ÉCOLES ET L'ÉDUCATION...

ON DIT QUE LES PETITES CLASSES SONT PLUS PROPICES À L'APPRENTISSAGE.

SI JE RESTAIS À LA MAISON, NOTRE CLASSE SERAIT ENCORE PLUS PETITE.

« BEAGLE DU MATIN, CHAGRIN... »

« BEAGLE DU SOIR, ESPOIR. »

!!!/?

QUELQUE CHOSE À PROPOS DES OISEAUX ET DES VERS, MAIS JE N'EN CROIS RIEN.

« INDICES D'UNE ÉVENTUELLE DIFFICULTÉ D'APPRENTISSAGE : MÉMOIRE DÉFAILLANTE, FAUTES D'ORTHOGRAPHE COURANTES ET MAÎTRISE MAL ASSURÉE DU CRAYON... »

ET ON DIT QUE LA GALAXIE D'ANDROMÈDE SE PRÉCIPITE VERS LA NÔTRE À UNE VITESSE DE 4 800 000 KILOMÈTRES À L'HEURE...

1-22

J'AI ENTENDU HURLER LES COYOTES HIER SOIR ENCORE, CHARLIE BROWN...

1/23

LE CRI LE PLUS SOLITAIRE QUI SOIT...

COMME LE SIFFLEMENT D'UN TRAIN À MINUIT...

OU UN OUVRE-BOÎTE SOLITAIRE...

1-24

JE N'IRAI PAS À L'ÉCOLE AUJOUR-D'HUI. JE RESTE CACHÉ SOUS LE LIT JUSQU'AU DÎNER...

1-26

QUE DOIS-JE DIRE À TON INSTITUTRICE ?

DIS-LUI QU'HIER JE L'AI VUE AVEC SON NOUVEAU COPAIN ET QUE JE SUIS CONVAINCU QU'ELLE PEUT FAIRE MIEUX

J'AI RÉPÉTÉ À TON INSTITUTRICE CE QUE TU AS DIT DE SON NOUVEAU COPAIN...

ELLE DIT QUE TU AS RAISON, QU'IL EST VRAIMENT IDIOT ET QU'ELLE REFUSE DE LE REVOIR DÉSORMAIS.

1-27

JE POURRAIS DIRIGER L'OCCIDENT D'ICI, SOUS MON LIT !

RERUN, OÙ ÉTAIS-TU AUJOURD'HUI ?

JE SUIS RESTÉ SOUS MON LIT TOUTE LA JOURNÉE.

JE SUIS D'AVIS QUE TOUS DEVRAIENT FAIRE DE MÊME DE TEMPS EN TEMPS.

1-28

ET QU'EN PENSE TON PÈRE ?

IL N'EST PAS ALLÉ TRAVAILLER. IL EST CACHÉ SOUS SON LIT.

DOMMAGE QUE TU NE SOIS PAS UN FAUCON.

D'AUCUNS CROIENT QUE LES FAUCONS ONT UN ACCÈS PRIVILÉGIÉ AUX CIEUX

1-29

BIEN SÛR, UN ACCÈS À LA GALERIE MARCHANDE N'EST PAS MAL NON PLUS...

AUJOURD'HUI, QUELQU'UN À L'ÉCOLE M'A DEMANDÉ SI J'AI UN FRÈRE AÎNÉ QUI NE SORT PAS SANS UNE COUVERTURE. « NON, AI-JE RÉPONDU, JE SUIS FILS UNIQUE. » PUIS, UN AUTRE A AJOUTÉ : « MAIS N'AS-TU PAS UNE SŒUR AÎNÉE QUELQUE PEU BIZARRE ? » « NON, AI-JE INSISTÉ, JE SUIS FILS UNIQUE. » ET JE DOIS SANS CESSE RÉPONDRE, JOUR APRÈS JOUR, AUX QUESTIONS PRESSANTES DES CURIEUX...

1-30

JE DOIS FAIRE UNE DISSERTA-TION SUR LES NUAGES.

QUEL TYPE DE NUAGE ?

JE N'EN SAIS RIEN. DIS-LE-MOI.

LES NUAGES DE PLUIE, PAR EXEMPLE ?

BIEN. TIENS ! RÉDIGE-LA.

JE NE PEUX FAIRE TON TRAVAIL SCOLAIRE À TA PLACE.

PUISSE-T-IL PLEUVOIR SUR TA TÊTE !

1-31

TU NE DEVRAIS PAS AVOIR PEUR SIMPLEMENT À CAUSE DE TA PETITE TAILLE.

APPRENDS À RIPOSTER ! NE LAISSE PERSONNE T'EN IMPOSER !

2-2

SI VOUS ÊTES LE TROISIÈME ENFANT DE LA FAMILLE ET QUE VOTRE FRÈRE ET VOTRE SŒUR SONT OFFICIELLEMENT TARÉS, JE ME DEMANDE S'IL SE PEUT QUE CE TROISIÈME ENFANT DÉVELOPPE UNE IMMUNITÉ TOTALE CONTRE TOUS LES DÉSAGRÉMENTS QUE SA FAMILLE PEUT OCCASIONNER À CET ENFANT INFORTUNÉ QUI...

BONSOIR, L'IMMUNITÉ !

2-3

UN PIANISTE PEUT-IL SUBVENIR AUX BESOINS D'UNE ÉPOUSE HABITUÉE AUX BONNES CHOSES DE LA VIE ?

2-4

... LES VOITURES DE LUXE, LES VÊTEMENTS DE COUTURIERS, UNE VILLA EN BORD DE MER, CE GENRE DE CHOSES.

ASSURÉMENT ! LES PIANISTES GAGNENT BEAUCOUP D'ARGENT ET LEURS ÉPOUSES PEUVENT ACHETER TOUT CE DONT ELLES RÊVENT !

JE VAIS, PROBABLE- MENT ÉPOUSER UN ALTISTE.

VITE MARCIE, PRÊTE-MOI TA GOMME À EFFACER !

BONK!

2-5

VOICI, MONSIEUR. HEUREUSE DE POUVOIR VOUS AIDER.

UN JOUR, MARCIE, TU FINIRAS PAR ME RENDRE DINGUE.

HEUREUX DE VOIR QUE TU PRATIQUES LA MARCHE. À TROP VOLER, TU RISQUES D'USER TES AILES...

VOILÀ POURQUOI LES CHIENS N'ONT PAS D'AILES... NOS ANCÊTRES ONT USÉ LES LEURS...

NON, TU PEUX CROIRE QUELQUES-UNES DES CHOSES QUE JE TE DIS.

2-6

JE CONSTATE QUE WOODSTOCK PROCÈDE À DES RÉNOVATIONS DOMICILIAIRES.

2-7

Z

JE NE DORS PAS !
OUI, MADAME. VOUS
M'AVEZ APPELÉE ?

JE SUIS LÀ ! AVEZ-VOUS
FAIT L'APPEL ? BESOIN DE
VOLONTAIRES ?
INSCRIVEZ-MOI !
J'APPORTE LE DESSERT !

2-9

LA RÉPONSE
EST
« DOUZE ».

C'EST PROBABLEMENT
CE QUE J'ALLAIS PEUT-
ÊTRE DIRE.

QUE DOIT-ON FAIRE QUAND ON SAIT
QU'ON NE RECEVRA PAS DE CARTE
À LA SAINT-VALENTIN ?

2-10

ON PREND UN AIR MAUSSADE TRÈS
RÉALISTE POUR QUE NUL N'IGNORE
QU'ON EST MAUSSADE.

QU'EN
DIS-TU ?

EXCELLENT.

HÉ, BABOU CHÉRI ! JE
T'APPORTE UN VALENTIN !

A-T-IL UNE
QUELCONQUE
VALEUR
MONÉTAIRE ?

JE NE
CROIS PAS.

2-11

JE NE SUIS PAS
TON BABOU CHÉRI !

21

Panel 1: DIS À MON BABOU CHÉRI QUE JE VIENS CHERCHER MON VALENTIN...

Panel 2: JE NE SUIS PAS SON BABOU CHÉRI ET JE NE LUI OFFRIRAIS PAS DE VALENTIN, MÊME SI ELLE ÉTAIT LA DERNIÈRE FILLE SUR TERRE !

Panel 3: ATTENDS ICI. JE VAIS LUI DONNER UNE BAFFE EN TON NOM.

Panel 4: OUILLE !

2-12

Panel 5: MERCI !

PAS DE QUOI. UNE SŒUR, C'EST FAIT POUR ÇA.

© 1998 United Feature Syndicate, Inc.

Panel 6: QU'ES-TU EN TRAIN D'ÉCRIRE, MARCIE ?

Panel 7: J'ENVOIE UN VALENTIN À CHARLES.

TU NE PEUX FAIRE ÇA. IL VA CROIRE QU'IL TE PLAÎT.

Panel 8: C'EST VRAI. J'AIME BEAUCOUP CHARLES.

ALORS SIGNE AUSSI MON NOM.

© 1998 United Feature Syndicate, Inc.

Panel 9: VAS-Y ! REMORQUE-TOI À MON VALENTIN !

2-13

Panel 10: BONJOUR CHARLES, AS-TU AIMÉ NOTRE VALENTIN ?

2-14

Panel 11: OUI, C'EST GENTIL, MERCI.

GENTIL ?

Panel 12: IL A DIT « GENTIL ».

DEMANDE-LUI DE NOUS LE REMETTRE.

© 1998 United Feature Syndicate, Inc.

Panel 13: NOUS AVONS ENCORE LE TEMPS DE L'OFFRIR À QUELQU'UN D'AUTRE

DANS QUEL ÉTAT SE TROUVE LE TER- RAIN DE BALLE CETTE ANNÉE, CHARLIE BROWN ?

JE CROIS QUE NOTRE OUVRIER JARDINIER FAIT DU BON TRAVAIL...

LE LOSANGE EST SUPERBE ET LE GAZON DU CHAMP EXTÉRIEUR N'A JAMAIS ÉTÉ AUSSI VERT.

JE PENSE QUE C'EST À CAUSE DU NOU- VEAU SYSTÈME D'ARROSAGE AUTOMATIQUE.

23

TU SAIS QUOI, OLAF ?

QUOI ?

JE PENSE QUE NOUS NOUS SOMMES ENCORE TROMPÉS DE ROUTE.

2-16

Quatre semaines s'écoulèrent...

Andy et Olaf n'avaient pas encore trouvé notre frère Spike qui habitait le désert...

J'AI ÉTUDIÉ LA CARTE ET JE CROIS SAVOIR OÙ NOUS SOMMES.

GÉNIAL ! ET OÙ SOMMES-NOUS ?

2-17

LÀ OÙ TU ES ASSIS.

J'AI UNE IDÉE. SPIKE EST COPAIN AVEC LA SOURIS MICKEY, PAS VRAI ?

2-18

DU MOINS, C'EST CE QU'IL PRÉTEND.

ET MICKEY EST TRÈS RICHE, NON ?

POURQUOI NE PAS LUI TÉLÉPHONER ET LUI DEMANDER DE NOUS ENVOYER UNE LIMOUSINE ?

C'EST TON IDÉE ?

PEUT-ÊTRE MÊME UNE LIMOUSINE ALLONGÉE...

NOUS ALLONS TÉLÉPHONER À LA SOURIS MICKEY ?

POUR LUI DEMANDER DE NOUS ENVOYER UNE LIMOUSINE.

D'ACCORD ! C'EST TON IDÉE, TU LUI PARLES...

2-19

OUAH !

AS-TU DÉJÀ PARLÉ AU TÉLÉPHONE ?

OUAH !

2-20

OUAH !

IL N'EST PEUT-ÊTRE PAS CHEZ LUI.

Andy et Olaf ne joignirent jamais la souris Mickey au téléphone.

2-21

En conséquence, Mickey ne leur envoya jamais sa limousine.

Entre-temps, Spike se trouvait dans le désert à les attendre.

T'ES PLUS GRAND QUE MOI. VOIS-TU VENIR QUELQU'UN ?

2-22

BONK!

J'AI ALORS LANCÉ LA BALLE AVEC TANT DE PUISSANCE QU'ELLE FIT LE TOUR DE LA TERRE ET REVINT ME FRAPPER PAR DERRIÈRE.

QU'Y A-T-IL DE SI DRÔLE ?

GRAND-PÈRE SOUHAITERAIT RAVOIR SON AUTO...

IL PRENAIT PLAISIR À VOIR DÉROULER LES CHIFFRES DU COMPTEUR KILOMÉTRIQUE...

IL DIT QUE C'ÉTAIT SON ÉMISSION PRÉFÉRÉE.

2-26

2-27

L'UNE DES PRE-MIÈRES CHOSES QUE L'ON ENSEIGNE À UN CHIOT, C'EST LA POIGNÉE DE PATTE.

TU SAIS CE QUE MAMAN DIT ENSUITE ?

QU'IL FAUT CHAQUE FOIS SE LAVER LA PATTE SANS TARDER.

JE CROYAIS QUE TU VENAIS PRENDRE L'AIR.

JE NE PEUX PAS. ON NOUS DEMANDE DE DEMEURER À L'ÉCOUTE POUR VOIR DES SCÈNES DU PROCHAIN ÉPISODE...

2-28

POUR MA PART, JE VAIS PRENDRE L'AIR.

J'AIMERAIS BIEN T'ACCOMPAGNER...

MAIS JE DOIS DEMEURER À L'ÉCOUTE POUR VOIR DES SCÈNES DU PROCHAIN ÉPISODE.

28

PEANUTS.

par Schulz

ENVOLE-TOI, CERF-VOLANT STUPIDE ! ALLEZ HOP !

PLUS HAUT ! ENCORE PLUS ! PLUS HAUT, HAUT !

3-1

ESPÈCE DE CERF-VOLANT STUPIDE ! INCAPABLE DE S'ENVOLER ! TU ES LA DISGRÂCE DE TA RACE !

NE CROIS PAS SI BIEN T'EN TIRER ! RETOURNE VITE LÀ-HAUT, SINON !...

COMMENT C'ÉTAIT, LE CERF-VOLANT ?

JE PENSE AVOIR APPRIS QUELQUE CHOSE MAIS JE NE SAIS TROP QUOI...

JE N'AI PAS À TE RAPPELER L'IMPORTANCE DU MATCH DE BASEBALL D'AUJOURD'HUI.

RAPPELLE-LA-MOI QUAND MÊME.

LE MATCH D'AUJOURD'HUI EST TRÈS IMPORTANT !

MERCI DE ME L'AVOIR RAPPELÉ !

3-2

HÉ L'ENTRAÎNEUR, POURQUOI SUIS-JE TOUJOURS AU CHAMP DROIT ?

PARCE QUE, NON SEULEMENT TU ES LA PIRE JOUEUSE DE L'ÉQUIPE, MAIS TU ES LA PIRE JOUEUSE DE L'HISTOIRE DU BASEBALL !

DIS DONC, QU'EST-CE QUE TU AS GROSSI !

3-3

HÉ L'ENTRAÎNEUR !

QUOI ENCORE ?

NOUS AVIONS DES TORTELLINIS AU DÎNER HIER SOIR.

QUELQUES-UNS ÉTAIENT BLANCS, D'AUTRES VERTS, D'AUTRES ENCORE ÉTAIENT ORANGE. N'EST-CE PAS FORMIDABLE ?

OÙ EN EST LE MATCH ?

3-4

LA PLUIE N'EST PAS TROP DRUE.

« LA PLUIE N'ÉPARGNE PERSONNE, NI LES JUSTES, NI LES INJUSTES. »

3-5

... NI QUICONQUE SE TROUVANT AU CHAMP DROIT.

CE N'EST QU'UN PEU DE PLUIE ! ELLE VA BIENTÔT CESSER. OÙ DONC ALLEZ-VOUS TOUS ?

EST-CE UNE RAISON DE DÉTALER ? POURQUOI FAUDRAIT-IL DÉCOMMANDER LE MATCH ?

PARCE QUE TON CHIEN EST TREMPÉ...

3-6

IL S'EST MIS À PLEUVOIR ET ILS ONT TOUS DÉGUERPI. ENSUITE LA PLUIE A CESSÉ ET ILS SONT TOUS REVENUS. NOUS AVONS REPRIS LE MATCH OÙ NOUS EN ÉTIONS ET NOUS AVONS PERDU.

PEUT-ÊTRE VOUS HABITUEREZ-VOUS À LA DÉFAITE ?

3-7

PEUT-ÊTRE PAS.

IL FOND. VITE ! APPELLE LES SECOURS D'URGENCE !

LE 9 RESSEMBLE À UN PETIT ZÉRO AVEC UNE QUEUE.

OUAH !

C'EST TROP TARD. ANNULE LES SECOURS.

OUAH !

JE PARFAIS MES POINTS D'INTERROGATION. LES POINTS D'INTERROGATION ONT LEUR IMPORTANCE, SURTOUT LORSQU'ON VEUT DIRE...

QUOI ?

NON MERCI ! JE L'ACCOMPAGNE ET IL NE FAIT QUE REGARDER.

QUAND JE SERAI PLUS GRAND, JE SERAI VENDEUR DE JOURNAUX À LA CRIÉE. JE ME TIENDRAI AUX COINS DES RUES ET JE LANCERAI : « EXTRA ! LISEZ LA VÉRITÉ NOIR SUR BLANC ! »

« LINDBERGH FAIT LA TRAVERSÉE DE L'OCÉAN. »

EXACT !

IL TE FAUT UNE COUVERTURE COMME CELLE DE TON FRÈRE

JE SONGEAIS À M'INSCRIRE À UN COURS DE JAPONAIS.

PEUT-ÊTRE UN PEU DE LATIN ET D'ESPAGNOL, QU'EN DIS-TU ?

D MOINS EN EXPRESSION ORALE.

3-12

NON MADAME. J'IGNORE LA RÉPONSE.

3-13

EN FAIT, J'IGNORE TOUT.

JE NE SUIS QU'UNE FIGURANTE DANS CE DÉCOR.

LA STRATÉGIE EXCITE MA CURIOSITÉ.

LORSQUE TON ADVERSAIRE ET TOI ÊTES AU DERNIER TROU ET QUE VOUS ÊTES À ÉGALITÉ, QUELLE EST TA STRATÉGIE ?

JE PRIE POUR QU'IL ENVOIE SA BALLE DANS L'ÉTANG.

3-14

PEANUTS.

par Schulz

MADAME LUCY
PRÉDIT L'AVENIR

HÉ L'ENTRAÎNEUR, J'AI DÉCOUVERT QUELQUE CHOSE ! SI JE FIXE CETTE BALLE, JE PEUX PRÉDIRE L'AVENIR.

EN ME CONCENTRANT SUR LA BALLE, JE VOIS TOUS LES MATCHES QUE NOUS DISPUTERONS...

JE TE VOIS DEVENIR UN LANCEUR RENOMMÉ...

3-15

JE VOIS NOTRE ÉQUIPE REMPORTER PLUSIEURS CHAMPIONNATS ! JE VOIS...

DÉSOLÉ DE T'INTERROMPRE MAIS, PENDANT QUE TU VOIS TOUT CELA, LEUR COUREUR A MARQUÉ À PARTIR DU PREMIER BUT !

JE TE PRÉDIS UN BEL AVENIR, L'AMI !

Schulz

35

JE M'ÉVEILLE PARFOIS LA NUIT ET L'ANGOISSE S'EMPARE DE MOI.

3-16

PUIS, UNE VOIX S'ADRESSE À MOI DANS LE NOIR ET DIT : « NOUS COMPRENONS TON PROBLÈME. LES DÉTAILS AU BULLETIN DE ONZE HEURES. »

ÇA S'APPELLE UNE HOUE.

JE SAIS, J'AI VU DES PHOTOS.

QUICONQUE CONNAÎT LA RÉUSSITE A COMMENCÉ PAR TENIR UNE HOUE.

3-17

ME VOILÀ SOUDAIN SUR LA ROUTE DE LA RÉUSSITE.

NOUS FERONS NOTRE POTAGER ICI.

ALORS ?

ALORS À L'AIDE DE LA HOUE TU DÉSHERBES ET TU DÉLOGES LES CAILLOUX.

3-18

D'ACCORD ET QUAND VEUX-TU QUE J'AIE TERMINÉ ?

CET APRÈS-MIDI.

JE PRÉVOYAIS EN TERMINER DANS 50 ANS.

LE BINAGE EST UN RUDE TRAVAIL. JE NE M'Y HABITUE PAS.

C'EST PARCE QUE TU BINES LE TROTTOIR. TU ES CENSÉ SARCLER LE JARDIN.

MA MÈRE NE M'A PAS PRÉPARÉ AUX TRAVAUX DE LA FERME !

3-19

© 1998 United Feature Syndicate, Inc.

www.unitedmedia.com

JE VOIS QUE RERUN BINE LE JARDIN À TA DEMANDE...

ÇA LUI FERA GRAND BIEN. QUICONQUE CONNAÎT LA RÉUSSITE A COMMENCÉ PAR TENIR UNE HOUE.

3-20

TIGER WOODS FRAPPE UN BOIS NUMÉRO 3 EN DIRECTION DU 18E TROU.

© 1998 United Feature Syndicate, Inc.

J'AI CHANGÉ D'IDÉE. JE NE VEUX PLUS DE JARDIN.

QU'EN EST-IL DES MAUVAISES HERBES QUE J'AI BINÉES ?

REMETS-LES OÙ TU LES AS PRISES.

J'AURAIS DÛ LES NUMÉROTER.

3-21

www.unitedmedia.com

© 1998 United Feature Syndicate, Inc.

« BONNE NUIT, BONS RÊVES, PAS DE PUCES NI DE PUNAISES ».

O.K. FAITES ENTRER LES MOUTONS.

UN, DEUX, TROIS, QUATRE, CINQ...

UN BOUC ? D'OÙ PEUT BIEN SORTIR CE BOUC ?

© 1988 United Feature Syndicate, Inc.

3-22

FLÛTE ! QUI A LAISSÉ ENTRER TOUTES CES OIES ? VOICI UN AUTRE BOUC ! QUI A LAISSÉ ENTRER LES CHÈVRES ? ET CE CHEVAL ? D'OÙ VIENT CE CHEVAL ?

BAM! BAM! BAM!

LORSQUE JE NE TROUVE PAS LE SOMMEIL, IL M'ARRIVE DE COMPTER DES MOUTONS.

VINGT-CINQ MOUTONS, DEUX CHÈVRES, TREIZE OIES, UN CHEVAL ET JE SUIS TOUJOURS ÉVEILLÉ.

www.unitedmedia.com

SCHULZ

C'EST LE JOUR DE LA RENTRÉE SCOLAIRE.

3-23

CELA SIGNIFIE PEU DE CHOSE POUR TOI, TU MÈNES UNE VIE SIMPLE.

L'INSTRUCTION NE T'IMPORTE PAS.

SALUT ET À PLUS TARD.

HASTA LUEGO !

LE GRAND AVIATEUR, HÉROS DE LA PREMIÈRE GUERRE MONDIALE, FAIT SON ENTRÉE À L'AÉRODROME.

ALORS QU'IL PREND PLACE À BORD DU COCKPIT DE SON AÉROPLANE, IL SCRUTE LE CIEL SOMBRE... APERÇOIT DES ÉCLAIRS À SA DROITE...

SEUL LE PLUS BRAVE ET LE PLUS DÉVOUÉ DES PILOTES SE RISQUERAIT À VOLER PAR UN TEMPS PAREIL.

3/24

REGARDE LA JOLIE PHOTO D'UN GARÇON ET DE SON CHIEN DEVANT LA CHEMINÉE.

OÙ A-T-IL TROUVÉ CE CHIEN ?

DEMANDE À TON CHIEN S'IL VEUT VENIR JOUER AU JARDIN PUBLIC AVEC MOI.

3-25

VONT-ILS DÉCERNER DES TROPHÉES ?

TOUT LE MONDE A UN CHIEN. POURQUOI MAMAN REFUSE-T-ELLE QUE J'EN AIE UN ?

BEAUCOUP DE GENS N'ONT PAS DE CHIEN.

POURQUOI MAMAN REFUSE-T-ELLE QU'ILS EN AIENT ?

JE CROIS QUE JE VAIS TIRER DE L'ARGENT DE MON FONDS D'ÉTUDES POUR POUVOIR ACHETER UN CHIEN.

TU N'AS PAS DE FONDS D'ÉTUDES.

NON ?

PASSE-MOI LA CONFITURE DE CASSIS

IL N'EN RESTE PLUS.

COMMENT PEUT-ON N'AVOIR NI CHIEN, NI FONDS D'ÉTUDES, NI CONFITURE DE CASSIS ?

ME VOILÀ SEUL DANS L'AUTO PENDANT QUE TOUTE LA FAMILLE EST À LA GALERIE MARCHANDE.

VOICI LE CÉLÈBRE CONDUCTEUR DE TRACTEUR-REMORQUE QUI FILE VERS OMAHA.

UNE PAUSE, LE TEMPS DE SORTIR LA CARTE DE LA BOÎTE À GANTS.

UNE AUTRE PAUSE, LE TEMPS D'ESSAYER DE REMETTRE LA CARTE DANS LA BOÎTE À GANTS

PRÊT À
DÉCOLLER.

NON, SI TU NE VEUX
PAS ÊTRE PILOTE
D'ESSAI, TU PEUX
TOUJOURS DEVENIR
COMPTABLE.

CENT UN, CENT DEUX, CENT TROIS...

À QUOI ÇA ÉQUIVAUT SELON LE CALENDRIER CANIN ?

3-30

MADAME, PERMISSION DE M'ABSENTER POUR ALLER BOIRE UN VERRE D'EAU.

MADAME, PERMISSION DE COPIER LES RÉPONSES SUR LA COPIE DE MARCIE PENDANT QU'ELLE EST SORTIE.

ME REVOILÀ. POURQUOI L'INSTITUTRICE FRONCE-T-ELLE LES SOURCILS ?

SAIS PAS. UNE VIELLE MANIE...

POISSON D'AVRIL !

ON NE LANCE PAS « POISSON D'AVRIL » AVANT D'AVOIR D'ABORD DIT QUELQUE CHOSE.

QUE DOISJE DIRE ?

CE QUE TU VEUX.

L'EXERCICE EST TROP DIFFICILE.

4-1

UN ÉNORME ALLIGATOR S'EST GLISSÉ FURTIVEMENT SOUS TON FAUTEUIL.

POISSON D'AVRIL !

C'ÉTAIT HIER LE PREMIER AVRIL.

J'Y AI RÉFLÉCHI TOUTE LA NUIT.

LORSQUE TU RENTRES AU PORT, TU DOIS AMARRER TON VOILIER POUR QUE LA MER NE L'EMPORTE PAS.

4-3

HÉ ! QUI A DÉCIDÉ QUE TU ÉTAIS LANCEUR ? TU LANCES COMME MA GRAND-MÈRE !

4-4

TA GRAND-MÈRE EST GAUCHÈRE !

TU LANCES COMME TANTE MARIANNE !

POURQUOI LES CHIENS GOBENT-ILS AVIDEMENT LEUR PÂTÉE ?

NOUS DEVONS FAIRE VITE AVANT QUE LES HYÈNES NE SURGISSENT ET NE S'EN EMPARENT.

INCIDEMMENT, SI TU CRAINS LES HYÈNES, T'EN FAIS PAS. IL N'Y EN A PAS PAR ICI.

AS-TU REGARDÉ DANS LES ARBRES ?

4-6

AU TERRAIN DE JEU, UN GAMIN M'A FAIT TOMBER DE LA BALANÇOIRE. JE VEUX QUE TU LUI DONNES UNE CORRECTION.

OÙ EST-IL À PRÉSENT ?

4/7

ICI. JE L'AI AMENÉ POUR QUE TU LUI RÈGLES SON COMPTE.

ALLEZ, DONNE-LUI UNE CORRECTION ! IL M'A FAIT TOMBER DE LA BALANÇOIRE. FRAPPE-LE PENDANT QUE JE LE MAINTIENS.

JE NE PEUX PAS FRAPPER UN GAMIN.

4-8

ORDONNE À TON CHIEN DE LE MORDRE.

IL M'A FAIT TOMBER DE LA BALANÇOIRE. DONNE-LUI UNE LEÇON... ROSSE-LE !

L'AS-TU VRAIMENT FAIT TOMBER DE LA BALANÇOIRE ?

JE ME SUIS TROMPÉ. JE CROYAIS QU'ELLE ÉTAIT MA SŒUR...

4-9

D'ABORD, IL ME FAIT TOMBER DE LA BALANÇOIRE, ENSUITE IL ME DIT QUE JE SUIS MIGNONNE.

4-10

.QUE FAIRE LORSQU'ON VOUS DIT QUE VOUS ÊTES MIGNONNE ALORS QUE VOUS SAVEZ QUE VOUS NE L'ÊTES PAS ?

LAISSE TOMBER, JE SAIS.

CRÉTIN !!

JE SUIS NAVRÉ MAIS LE DÎNER SERA RETARDÉ CE SOIR.

EN FAIT, J'IGNORE DE COMBIEN DE TEMPS... PEUT-ÊTRE DE DIX MINUTES, PEUT-ÊTRE DE DEUX MINUTES, PEUT-ÊTRE DE TROIS SECONDES.

TE VOILÀ PRÉVENU.

C'EST LONG, TROIS SECONDES.

4-11

BRUME EN MATINÉE.

4-13

RENFORCEMENT DES VENTS, MER AGITÉE.

MISES EN GARDE AUX FRÊLES ESQUIFS.

IL NE RESTE QU'UN SEUL BISCUIT. ALORS NOUS DÉCIDERONS PAR VOTE À QUI IL REVIENT.

JE VOTE POUR MOI, IL EST DONC À MOI.

4-14

FRAUDE ÉLECTORALE.

JE ME DEMANDAIS... T'A-T-ON DÉJÀ INVITÉ À JOUER SUR LE CIRCUIT PROFESSIONNEL ?

ON NE M'A SEULEMENT JAMAIS INVITÉ À JOUER SUR LE CIRCUIT CANIN.

4-15

VOICI MA DISSERTATION SUR... MACHIN CHOUETTE.

IL EST NÉ ENTRE LE XVIIᵉ ET LE XVIIIᵉ SIÈCLES, ON SAIT PEUT DE CHOSES DE LUI.

4-20

EN FAIT, ON IGNORE S'IL S'AGISSAIT D'UN HOMME OU D'UNE FEMME...

OUI, MADAME. MERCI.

UNE AUTRE DISSERTATION DES PLUS BRILLANTES, MONSIEUR !

PAS FACILE DE SUIVRE MES TRACES, HEIN, MARCIE ?

« QUI A LAISSÉ LA PORTE OUVERTE ? » TELLE EST MA NOUVELLE PHILOSOPHIE.

4-21

JE SUIS CONVAINCU QU'ELLE ME SERA D'UN GRAND SECOURS LORSQUE JE SERAI DANS L'ADVERSITÉ.

TU AS ENCORE BU TOUT LE LAIT.

QUI A LAISSÉ LA PORTE OUVERTE ?

LE GRAND AVIATEUR DE LA PREMIÈRE GUERRE MONDIALE EST EN PERMISSION CHEZ LUI.

4-22

IL FAIT BON DE RETROUVER DES AMIS QUI SAVENT NOUS APPRÉCIER.

ENLÈVE TA CHOPE DE COLA DE MON PIANO.

LE GRAND AVIATEUR DE LA PREMIÈRE GUERRE MONDIALE EST EN PERMISSION CHEZ LUI.

IL GOÛTE UN RÉPIT LOIN DU FRONT

IL APPRÉCIE DE NOUVEAU LA QUIÉTUDE DE LA CAMPAGNE.

TU NE JOUES PAS, DÉGUERPIS ET VITE !

4-23

ALLÔ CHARLES. MAMAN TE DEMANDE DE VENIR CHERCHER TON CHIEN.

IL EST DANS LA CUISINE ET BOIT ENCORE DU COLA... BIEN, JE VAIS LE LUI DIRE.

LE GÉNÉRAL PERSHING A TÉLÉPHONÉ. TOUTES LES PERMISSIONS SONT ANNULÉES. TU DOIS RETOURNER À L'AÉRODROME SUR-LE-CHAMP !

AVEC OU SANS BAISER ?

4-24

SANS...

JE NE TE COMPRENDS PAS.

TU NE PEUX ENTRER CHEZ LES GENS ET TE METTRE À SIROTER DU COLA.

4-25

TU LES DÉRANGES PEUT-ÊTRE. ILS NE T'ONT PAS INVITÉ. IL Y A DES CHOSES QU'ON NE FAIT PAS !

À QUI PARLAIT-IL ?

JE SUIS NÉE LA PREMIÈRE, ALORS JE GAGNE LA MÉDAILLE D'OR.

JE SUIS NÉ LE DEUXIÈME, ALORS JE GAGNE L'ARGENT.

ENCORE HEUREUX QUE NOUS N'AYONS PAS DE CHIEN !

4-27

4-28

OUI, VOILÀ QUI EST MIEUX. TU SEMBLES PROSPÈRE À PRÉSENT.

UN MONDE SANS CHATS

4-29

C'EST TON MEILLEUR TEXTE À CE JOUR.

SI UN ÉDITEUR L'ACCEPTE, TU FERAS UNE TOURNÉE DE PROMOTION.

JE NE DONNE PAS D'AUTOGRAPHES.

VOICI LE CÉLÈBRE ÉCRIVAIN QUI VA POSTER SON DERNIER ROMAN À SON ÉDITEUR.

J'IGNORAIS QUE LES BOÎTES À LETTRES POUVAIENT S'ENFUIR.

UN JOUR, JE FERAI DEUX MÈTRES ET J'AURAI LE RESPECT DE TOUT UN CHACUN.

TU M'EN DIRAS TANT.

DEUX MÈTRES, C'EST TRÈS HAUT ?

QU'Y A-T-IL ?

JE SUPPOSE QUE TU CROIS QUE C'EST L'HEURE DU REPAS.

NON, JE ME PROMÈNE TOUJOURS AVEC UNE GAMELLE ENTRE LES DENTS.

PEANUTS.

par Schulz

JE NE TE HAIS PAS VRAIMENT.

ESTIMES-TU QU'IL EST DU DEVOIR D'UN GARS D'AIDER SA SŒUR À FAIRE SES DEVOIRS SI ELLE A DES DIFFICULTÉS ?

JE CROIS QUE OUI.

BIEN.

5-4

LE DEVOIR T'APPELLE !

J'AI AVOUÉ À MON INSTITUTRICE QU'HIER TU M'AS AIDÉE À FAIRE MES DEVOIRS

ELLE A DIT QUE TOUTES LES RÉPONSES ÉTAIENT ERRONÉES.

ELLE M'A DEMANDÉ CE QU'IL FAUT FAIRE DE TOI.

5-5

J'AI PROPOSÉ L'EMPRISONNEMENT À PERPÉTUITÉ SANS POSSIBILITÉ DE LIBERTÉ CONDITIONNELLE.

OUI MADAME, J'AI AIDÉ MA SŒUR À FAIRE SES DEVOIRS.

AUCUNE BONNE RÉPONSE ? COMMENT CELA SE PEUT-IL ?

5-6

QUOI QU'IL EN SOIT, J'AI FAIT DE MON MIEUX POUR L'AIDER.

N'Y A-T-IL RIEN DANS LA VIE À PART LES BONNES RÉPONSES ?

IL N'Y A RIEN DANS LA VIE À PART LES BONNES RÉPONSES.

BUREAU DE LA DIRECTRICE

« J'attendrai toujours ton retour », dit-elle. « Je ne vais nulle part », dit-il.

« Si tu ne vas nulle part, je ne peux pas t'attendre », dit-elle.

C'EST LA PIRE IDIOTIE QUE J'AIE LUE !

J'AJOUTERAI UNE NOTE EN BAS DE PAGE.

5-7

© 1998 United Feature Syndicate, Inc.

TU AS DE JOLIES CHAUSSURES, RERUN.

ELLES SONT CONFORTABLES

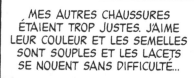

MES AUTRES CHAUSSURES ÉTAIENT TROP JUSTES. J'AIME LEUR COULEUR ET LES SEMELLES SONT SOUPLES ET LES LACETS SE NOUENT SANS DIFFICULTÉ...

QUAND ON T'ADRESSE UN COMPLIMENT, TU N'AS QU'À DIRE « MERCI ».

NAVRÉ... ON NE M'AVAIT JAMAIS FAIT DE COMPLIMENT.

5-8

© 1998 United Feature Syndicate, Inc.

JE CONNAIS LA CHANSON, MAIS QUEL EST SON TITRE ?

JE CONNAIS SON NOM MAIS JE NE ME LE RAPPELLE PLUS.

JE SAIS OÙ ÇA SE TROUVE MAIS JE NE M'EN SOUVIENS PLUS.

JE SAIS QUI A DIT CELA MAIS J'OUBLIE SON NOM.

JE DEVRAIS PARTICIPER À CE JEU TÉLÉVISÉ CAR JE CONNAIS TOUTES LES RÉPONSES.

5-9

© 1998 United Feature Syndicate, Inc.

PEANUTS.

par SCHULZ

C'EST MA SAISON PRÉFÉRÉE... JE CROIS.

FRIANDISE OU BÊTISE !

FRIANDISE OU BÊTISE ? MAIS CE N'EST PAS HALLOWEEN !

IGNORES-TU QUEL MOIS NOUS SOMMES ? N'AS-TU PAS DE CALENDRIER ?

JE NE SUIS QU'UN ENFANT. JE NE SAIS PAS LIRE LE CALENDRIER. JE NE SAIS MÊME PAS QUEL JOUR NOUS SOMMES. PERSONNE NE ME DIT QUOI QUE CE SOIT...

5-10

© 1998 United Feature Syndicate, Inc.

D'ACCORD, VOICI UN BONBON. JOYEUSE HALLOWEEN !

MERCI.

À PROPOS, POUR TA GOUVERNE, C'EST LA FÊTE DES MÈRES AUJOURD'HUI.

VRAIMENT ?

COMBIEN DE JOURS AVANT NOËL ?

www.snoopy.com

HÉ CHARLIE, VEUX-TU SORTIR AVEC MOI ?

POUR ALLER OÙ ?

NE SAIS-TU RIEN, CHARLIE ?

TU FERAIS MIEUX D'ÊTRE LÀ ! ET N'OUBLIE PAS : JE T'AI INVITÉ AVANT TU SAIS QUI !

QUI ÉTAIT-CE ?

J'AI ÉTÉ INVITÉ À FAIRE QUELQUE CHOSE QUELQUE PART AVANT QUE TU SAIS QUI NE M'INVITE UN JOUR.

5-11

© 1998 United Feature Syndicate, Inc.

www.snoopy.com

SONGE, CHARLIE BROWN, QU'À LA SOIRÉE DANSANTE TU POURRAS VALSER AVEC LA PETITE ROUQUINE.

TU PRENDRAS SA GRACIEUSE MAIN DANS LA TIENNE.

5-12

KLUNK!

IL EST TOMBÉ DE SA CHAISE, MADAME.

© 1998 United Feature Syndicate, Inc.

www.snoopy.com

CHARLES, VEUX-TU M'ACCOMPAGNER À LA SOIRÉE DANSANTE ?

QUI EST À L'APPAREIL ?

C'EST MARCIE, ESPÈCE DE CRUCHE ! TU NE PEUX L'ACCOMPAGNER CAR TU M'AS DÉJÀ INVITÉE !

5-13

JE DANSE MIEUX QU'ELLE, CHARLES.

NE JOUE PAS AVEC LE FEU, CHARLIE.

TANGO, TANGO CHARLES !

© 1998 United Feature Syndicate, Inc.

www.snoopy.com

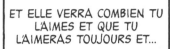

ET LORSQUE TU DANSERAS AVEC LA PETITE ROUQUINE, CHARLIE BROWN, ELLE TE REGARDERA DANS LES YEUX...

ET ELLE VERRA COMBIEN TU L'AIMES ET QUE TU L'AIMERAS TOUJOURS ET...

5-14

KLUNK!

ÊTES-VOUS DÉJÀ ALLÉE AU BAL, MADAME ?

5-15

HÉ CHARLIE, PASSERAS-TU ME PRENDRE EN LIMOUSINE POUR ALLER AU BAL ?

NOUS POURRIONS PLUTÔT NOUS RENCONTRER LÀ-BAS, HEIN CHARLES ?

5-16

NOUS RENCONTRER OÙ ? QUI PARLE ?

C'EST NOUS CHARLIE, ESPÈCE DE CRUCHE !

CES FILLES, TU LES DÉCONCERTES VRAIMENT, GRAND FRÈRE...

J'AI OUBLIÉ DE LEUR DEMANDER DE ME RÉSERVER LA DERNIÈRE VALSE.

ALLÔ ! VAS-Y ROY !

PEANUTS.

par SCHULZ

QUE REGARDES-TU ?

« LE MEILLEUR ». J'ATTENDS MA SCÈNE PRÉFÉRÉE

CELLE OÙ ROY HOBBS FRAPPE UN COUP DE CIRCUIT AU NEUVIÈME TOUR DE BATTE. LA BALLE FEND LE CIEL ET LA FOULE EST À SES PIEDS.

PEUT-ÊTRE QUE CETTE FOIS IL RATERA SON COUP.

NON, IL FRAPPE TOUJOURS UN COUP DE CIRCUIT. J'AI VU CE FILM VINGT FOIS. C'EST MA SCÈNE PRÉFÉRÉE.

ALLÔ ? OUI, IL EST LÀ.

C'EST POUR TOI.

© 1998 United Feature Syndicate, Inc.

JE REGARDE LA TÉLÉ. ROY HUBBS EST AU BÂTON... C'EST MA SCÈNE PRÉFÉRÉE... BIEN SÛR... EUH... EUH... OUI... EUH...

TU L'AS RATÉE. TU AVAIS RAISON. IL A FRAPPÉ UN COUP DE CIRCUIT, LA BALLE A FENDU LE CIEL ET LA FOULE ÉTAIT À SES PIEDS.

5-17

JE T'APPORTE TA PÂTÉE DE BONNE HEURE CAR CE SOIR JE VAIS AU BAL.

J'ESPÈRE POUVOIR DANSER AVEC LA CHARMANTE PETITE ROUQUINE ET...

5-18

ET J'IGNORAIS QUE TU ÉTAIS INVITÉ.

MINUTE L'AMI ! IL S'AGIT D'UN BAL, LE CHIEN NE PEUT ENTRER.

IL Y A UNE MÉSENTENTE. LE PETIT CROYAIT QU'IL S'AGISSAIT D'UN BAL MASQUÉ ET IL S'EST DÉGUISÉ EN CHIEN.

D'ACCORD, ENTREZ ET AMUSEZ-VOUS BIEN !

5/19

SUPERBE CE COSTUME DE CHIEN.

5-20

BONSOIR CHARLIE BROWN ! BIENVENUE À LA FÊTE ! TOUS SONT ARRIVÉS...

J'ESPÈRE QUE NOUS NE SOMMES PAS EN RETARD.

CE N'EST PAS UN BAL MASQUÉ, N'EST-CE PAS ?

NON.

ALORS QUI EST LE PETIT DÉGUISÉ EN CHIEN ?

REGARDE, CHARLIE BROWN. ELLE EST LÀ !

LA PETITE ROUQUINE N'ATTEND PLUS QUE TU L'INVITES À DANSER...

JE SOUHAITERAIS ÊTRE AUSSI RAFFINÉ QUE LES HÉROS DES ROMANS.

5-21

VOICI LE HÉROS DE SCOTT FITZGERALD À PROXIMITÉ DU BOL DE PUNCH, « L'AIR DÉSINVOLTE, QUI SE DÉSINTÉRESSE DES DANSEURS ».

« N'Y PENSE PAS UN INSTANT DE PLUS, CHAMPION ! »

© 1998 United Feature Syndicate, Inc.

J'AI PEINE À CROIRE QUE C'EST MOI...

5-22

... QUI SE DIRIGE VERS LA PETITE ROUQUINE...

... POUR L'INVITER À DANSER. JE M'APPROCHE, J'Y SUIS PRESQUE, JE...

CHARLIE ! NOUS TE CHERCHIONS PARTOUT !

VIENS CHARLIE, ON JOUE UN AIR DE POLKA.

VENEZ-MOI EN AIDE !

© 1998 United Feature Syndicate, Inc.

VOICI GATSBY LE MAGNIFIQUE À PROXIMITÉ DU BOL DE PUNCH QUI OBSERVE LES COUPLES DE DANSEURS...

5-23

« C'ÉTAIT EN 1919. JE N'Y AI SÉJOURNÉ QUE PENDANT CINQ MOIS. JE NE PUIS DONC AFFIRMER QUE JE SUIS UN OXFORDIEN. »

© 1998 United Feature Syndicate, Inc.

« NOUS NOUS SOMMES AIMÉS TOUT CE TEMPS, CHAMPION ! »

PEANUTS®

par SCHULZ

J'AIME PAS COMPTER PARMI LES TOUT-PETITS

Récital pour les tout-petits

QUE NOUS FORCE-T-ON À ÉCOUTER AUJOUR-D'HUI, MARCIE ?

UNE ŒUVRE DE HAYDN POUR TRIO.

VOIS, IL Y A UN PIANISTE, UNE VIOLONISTE ET UN ALTISTE.

QUI EST LA DAME À CÔTÉ DU PIANISTE ? ILS SONT ASSIS EXTRÊMEMENT PRÈS L'UN DE L'AUTRE.

ELLE TOURNE LES PAGES POUR LUI.

5-24

© 1998 United Feature Syndicate, Inc.

JE SUPPOSE QU'UNE SECRÉTAIRE OUVRE ÉGALEMENT SON COURRIER.

HAHAHAHA!

LE CHEMIN DU RETOUR SERA LONG.

Row 1

OÙ ÉTAIS-TU, CHARLIE BROWN ?

JE DANSAIS LA POLKA AVEC PATTY ET MARCIE...

ÉCOUTE, ON JOUE UN FOX-TROT.

JE VAIS INVITER LA PETITE ROUQUINE À DANSER.

JE CROIS QUE QUELQU'UN T'A DEVANCÉ...

5-25

« DAISY ET GATSBY DANSÈRENT... IL AVAIT LA GRÂCE D'UN DANSEUR DE FOX-TROT. »

Row 2

HÉ L'AMI ! N'ES-TU PAS CELUI DONT L'AMI PORTE UN COSTUME DE CHIEN ?

JE PENSE QU'IL A UN MALAISE. IL A BU TROP DE PUNCH.

L'INFIRMIÈRE EST AUPRÈS DE LUI...

5-26

ELLE A DU MAL À LUI RETIRER SON COSTUME.

Row 3

IL FALLAIT BIEN QUE TU SOIS MALADE ALORS QUE JE M'AMUSAIS COMME UN FOU.

QUELQU'UN A DIT QUE TU AVAIS BU TROP DE PUNCH.

5-27

J'AI TROP MANGÉ, J'AI TROP BU ET J'AI TROP DANSÉ.

RECOMMENÇONS DEMAIN SOIR !

LA POLKA N'ÉTAIT PAS TRÈS ROMANTIQUE, CHARLIE.

JE T'AVAIS RÉSERVÉ LA DERNIÈRE VALSE MAIS TU AVAIS DISPARU.

ET LA LIMOUSINE, CHARLIE ? NOUS N'AVONS PAS DAVANTAGE VU LA LIMOUSINE.

COMMENT ES-TU TOMBÉ EN DANSANT LA POLKA ?

5-28

NE NOUS INVITE PLUS JAMAIS AU BAL, CHARLIE

« TROP DE CŒURS SONT BRISÉS APRÈS LA SOIRÉE. »

DEVINE CE QUE J'AI APPRIS À L'ÉCOLE AUJOURD'HUI.

EN PRENANT LA COLLATION J'AI APPRIS À OUVRIR UN SAC DE CROUSTILLES.

QUELLE EST LA CAPITALE DE LA NORVÈGE ?

QUI SAIT ?

5-29

SAVAIS-TU QUE GRAND-MAMAN ET GRAND-PAPA, ONT DÉMÉNAGÉ ?

DÉMÉNAGÉ ?

GRAND-MAMAN DIT QU'ELLE PREND QUATRE PILULES PAR JOUR, LEUR CHIEN PREND HUIT PILULES PAR JOUR ET GRAND-PAPA EN PREND CINQ...

5-30

GRAND-MAMAN DIT QU'ILS HABITENT À PILULEVILLE...

PEANUTS.

par SCHULZ

5-31

6 JUIN 1944 — N'OUBLIONS PAS

TU SAIS CE QUE JE SUIS, CHARLIE BROWN ? UN AIDE-MÉMOIRE.

TU DOIS RENDRE UNE DISSERTATION DEMAIN.

JE SAIS ! JE SAIS ! CESSE DE ME LE RAPPELER !

PERSONNE N'APPRÉCIE UN AIDE-MÉMOIRE.

JE SUIS FICHUE, MARCIE. J'AURAI DES MAUVAISES NOTES DANS TOUTES LES MATIÈRES.

TA FICHE DE PRÉSENCE EST IMPRESSIONNANTE, MONSIEUR !

ET TU N'AS RIEN RENVERSÉ. VOILÀ CE QU'ON LIRA SUR TON BULLETIN...

« ELLE S'EST PRÉSENTÉE CHAQUE JOUR ET N'A RIEN RENVERSÉ. »

TU ES DÉRAISONNABLEMENT TARÉE, MARCIE.

ZUT ! MON NOM NE FIGURE PAS SUR LA LISTE DES MEILLEURS ÉLÈVES !

QUAND ON A LES CHEVEUX D'UN CHÂTAIN TERNE, ON NE REÇOIT JAMAIS LES HONNEURS.

DEPUIS HUIT GÉNÉRATIONS, AUCUN MEMBRE DE MA FAMILLE N'A FIGURÉ SUR LA LISTE DES MEILLEURS ÉLÈVES.

ILS AVAIENT TOUS LES CHEVEUX D'UN CHÂTAIN TERNE.

LAP LAP
LAP LAP
LAP LAP

QUE POUVAIS-JE FAIRE ? J'AVAIS SOIF

CROIS-TU QUE NOUS DEVRIONS PLANIFIER NOS ACTIVITÉS ESTIVALES, CHARLIE BROWN ?

ON DIT QUE LA PLANIFICATION EST LA CLEF D'UNE VIE RÉUSSIE...

JE PLANIFIE D'AVALER MON DÎNER RAPIDO AVANT QUE LES COYOTES NE S'EN EMPARENT.

6-8

MAMAN NE VEUT PAS QUE J'AIE UN CHIEN.

POURQUOI TA MÈRE TE PERMET-ELLE D'EN AVOIR UN ?

JE NE SAIS PAS.

6-9

OÙ AS-TU DÉNICHÉ TA MÈRE ?

BEETHOVEN A-T-IL ÉTÉ INTRONISÉ AU PANTHÉON DES QUILLEURS ?

J'EN DOUTE

6-10

PROBABLEMENT PARCE QU'IL NE COMPOSAIT PAS DE MUSIQUE POUR LES SALLES DE QUILLES.

KLUNK!

JE PARIE QU'IL SERAIT ENTRÉ AU PANTHÉON S'IL AVAIT COMPOSÉ DE LA MUSIQUE POUR LES SALLES DE QUILLES.

POUR LE MOMENT, JE N'AI PAS DE CHIEN MAIS J'EN AURAI UN UN JOUR...

AURAIS-TU QUELQUES TUYAUX SUR LA MANIÈRE D'ÉLEVER UN CHIEN ?

TU NE DONNES PAS DE CONSEILS ?

© 1998 United Feature Syndicate, Inc.

« CIEL ROUGE LE SOIR, SIGNE DE BEAU TEMPS. »

6-12

« CIEL ROUGE LE MATIN, SIGNE DE MAUVAIS TEMPS. »

© 1998 United Feature Syndicate, Inc.

PEUT-ÊTRE SIMPLEMENT UNE BOURRASQUE...

DIS À TON CHIEN QUE J'AI TROUVÉ UN NOUVEAU BÂTON... DIS-LUI QUE JE VAIS LE LANCER ET QU'IL IRA LE CHERCHER.

6-13

LE LUI DIS-TU ?

© 1998 United Feature Syndicate, Inc.

73

BONNE CHANCE !

RERUN, QUE FAIS-TU LÀ ?

JE VIENS JOUER AU CHAMP DROIT. JE REMPLACE LUCY QUI EST RETENUE AILLEURS.

TU N'AS RIEN À CRAINDRE. ELLE M'A PRÊTÉ SA CASQUETTE, SON GANT ET M'A ENSEIGNÉ LES RÈGLES DU JEU.

ELLE AFFIRME M'AVOIR ENSEIGNÉ TOUT CE QUE JE DOIS SAVOIR.

LANCE LA BALLE EN DIRECTION DU MARBRE, SOMBRE IDIOT !

6-14

SCHULZ

ENCORE HEUREUX QU'ELLE LUI AIT TOUT ENSEIGNÉ.

VOILÀ QUI EST BIEN ! MOÏSE AURAIT ÉTÉ FIER DE TOI.

6-15

SI TU ES MALHEUREUX, CHARLIE BROWN, C'EST PROBABLEMENT LA FAUTE DE TON CHIEN.

LE DOCTEUR EST LÀ

TON CHIEN EST CENSÉ TE RENDRE HEUREUX.

6-16

JE POURRAIS PEUT-ÊTRE LUI OFFRIR UN BALLON ?

JE ME DEMANDE PARFOIS CE QU'IL FAUDRAIT POUR QUE JE SOIS HEUREUX...

6-17

TIENS ! VA CHERCHER LA BALLE !

D'ORDINAIRE, ÇA FONCTIONNE AVEC LES CHIENS.

PEANUTS.

par Schulz

QUE DOIS-JE FAIRE POUR DEVENIR CAMELOT, CHARLIE BROWN ?

D'ABORD, TU DOIS T'EFFORCER DE LIVRER LE JOURNAL TÔT LE MATIN...

6-21

ET DE LE LANCER AFIN QU'IL ATTERRISSE SUR LE PAS DE LA PORTE... C'EST BIEN.

© 1998 United Feature Syndicate, Inc.

ET TU TE MÉFIES DES CHIENS.

QUELLE TÊTE AFFREUSE ! JE NE SERAI JAMAIS BELLE...

UN JOUR TU LE SERAS, MONSIEUR. TOUS TES TRAITS SE FORMERONT, S'HARMONISERONT, ET TU DEVIENDRAS UNE BEAUTÉ.

QU'ADVIENDRA-T-IL DE MES MAINS ?

UN JOUR TU AURAS DE JOLIES MAINS, MONSIEUR.

ET QU'ADVIENDRA-T-IL D'UNE AMIE QUE JE NE NOMMERAI PAS ?

ELLE SERA MAGNIFIQUE !

POURQUOI ES-TU SI GRINCHEUX ?

LA PÂTÉE POUR CHIENS ? ELLE EST PLUTÔT CONSISTANTE, RONDE EN BOUCHE, UN BOUQUET D'ÉPICES, PEUT-ÊTRE AVEC UN EFFLUVE DE GIBIER...

NON, JE NE VEUX PAS CONNAÎTRE LE GOÛT DES VERS.

PEANUTS par SCHULZ

MARCIE, CETTE COLONIE DE VACANCES RÉPOND À TOUS NOS DÉSIRS.

JE NE VAIS PAS EN COLONIE DE VACANCES CET ÉTÉ. JE RESTE À LA MAISON ET J'APPRENDS LE VIOLON.

TU APPRENDS QUOI ?

J'AI TOUJOURS DÉSIRÉ JOUER DU VIOLON.

TU RENONCERAIS À LA NATATION, À L'ÉQUITATION, AU TIR À L'ARC ET AU CANOTAGE POUR JOUER DU VIOLON ?

ON NE PEUT INTERPRÉTER BRAHMS À BORD D'UN CANOT, MONSIEUR !

© 1998 United Feature Syndicate, Inc.

www.snoopy.com

REGARDE, CHARLIE ! BEL ENDROIT POUR LES VACANCES, NON ?

JE NE PENSE PAS ALLER À LA COLONIE DE VACANCES.

6-28

ENCORE UN QUI NE PEUT JOUER BRAHMS DANS UN CANOT.

JE NE SAIS JAMAIS DE QUOI ELLE PARLE.

FABULEUX, NON ?
C'EST ICI QUE
MIGRENT LES
ZAMBONIS
PENDANT L'ÉTÉ.

J'AI TROIS
REINES, DEUX
VALETS, QUATRE
DIX ET UN HUIT...

J'AI DEUX
AS, QUATRE
ROIS, TROIS
DEUX ET UN
NEUF...

J'ABATS
MES
CARTES.

J'ABATS
MES
CARTES.

PARTIE ÉGALE !

DIS CHARLIE,
POURQUOI NE ME
TÉLÉPHONES-TU
JAMAIS ?

TRÈS JUSTE. JE
SUIS DÉSOLÉ.
J'AURAIS DÛ TE
TÉLÉPHONER.

POURQUOI NE
RACCROCHES-
TU PAS ET
JE VAIS TE
TÉLÉPHONER ?

ÇA NE SERAIT
PAS LA MÊME
CHOSE,
CHARLIE !

JE TE
CROYAIS AU
TÉLÉPHONE.

JE NE SUIS
PAS DOUÉ
POUR LE
TÉLÉPHONE.

81

Strip 1 (7-2):

 ALLÔ CHARLIE, J'AVAIS ENVIE DE TE PARLER DE NOUVEAU...

 WOUF !

 QUOI ? NON, CURIEUSE DE SAVOIR COMMENT TU VAS.

 WOUF WOUF WOUF !

 TU COMMENCES À RADOTER, CHARLIE.

Strip 2 (7-3):

 CHARLES, PATTY CROIT QUE TU NE LUI TÉLÉPHONES PAS PARCE QU'ELLE EST MOCHE.

 PARCE QU'ELLE A DES TACHES DE SON ET UN GROS NEZ. PARCE QU'ELLE A DES TACHES DE SON ET UN GROS NEZ.

 EST-CE LA RAISON POUR LAQUELLE TU NE LUI TÉLÉPHONES PAS ? EST-CE LA RAISON POUR LAQUELLE TU NE LUI TÉLÉPHONES PAS ?

 ÇA NE FONCTIONNE PAS, N'EST-CE PAS ? IL A DIT QU'IL RATAIT SON ÉMISSION PRÉFÉRÉE.

Strip 3 (7-4):

 GRAND-MÈRE LISAIT LE FOND DES GAMELLES.

 APRÈS UN REPAS, ELLE PRENAIT UNE GAMELLE, EN SCRUTAIT LE FOND ET PRÉDISAIT L'AVENIR.

 GRAND-MÈRE DISAIT QUE LA PÂTÉE POUR CHIENS EST PLUS PRÉCISE QUE LES FEUILLES DE THÉ.

 VRAIMENT ? JAMAIS ENTENDU PARLER D'UNE GRAND-MÈRE QUI LISAIT LES VERS.

C'EST ASSEZ ! EUF !

ON NE DORT JAMAIS TROP.

 7-6

JE L'AURAIS PARIÉ ! TES OREILLES BONDISSENT ENCORE !

Le malaise croissait entre lui et les autres membres de la famille.

Il estimait important de vivre entouré de gens qui partagent les mêmes valeurs morales.

Aussi, le chien s'enfuit-il.

7-7

7-8

FAUT MÉNAGER LE BRAS DE LA LANCEUSE, CHEF !

LE MATCH EST ANNULÉ, CHARLIE BROWN.

MAIS LE CIEL SE DÉGAGE ! J'APERÇOIS LE SOLEIL !

CE N'EST PAS LE SOLEIL MAIS LES LAMPADAIRES DE LA GALERIE MARCHANDE.

ON DIRAIT LE SOLEIL... JE SAIS QU'IL S'AGIT DU SOLEIL... LE CIEL SE DÉGAGE... LE CIEL EST BLEU...

QUELQU'UN VIENT À LA GALERIE MARCHANDE ?

7-9

UN FERMIER INTERVIEWÉ À LA TÉLÉ SE DISAIT HEUREUX DE LA PLUIE.

EST-CE QUE SON ÉQUIPE MENAIT PAR DIX COUPS QUAND LE MATCH FUT ANNULÉ ?

IL N'A RIEN DIT À PROPOS D'UN MATCH DE BASEBALL.

7-10

JE RETOURNE REGARDER LA TÉLÉ POUR SAVOIR CE QU'IL EN EST...

J'ESPÈRE QUE SON TRACTEUR EST TREMPÉ !

JE N'OUBLIERAI JAMAIS L'EXPRESSION SUR LE VISAGE DE L'AUTRE PROCUREUR...

QUAND IL A VU MON BLOC-NOTES JAUNE FLAMBANT NEUF STRIÉ DE LIGNES BLEUES.

LA JALOUSIE EST RÉPANDUE CHEZ LES PROCUREURS.

7-11

HÉ, L'ENTRAÎNEUR !

DEMANDE AU RECEVEUR S'IL VEUT VENIR CHEZ MOI APRÈS LE MATCH BOIRE DE LA LIMONADE.

ELLE VEUT SAVOIR SI TU VEUX ALLER CHEZ ELLE APRÈS LE MATCH BOIRE DE LA LIMONADE.

DIS-LUI QUE JE N'IRAIS PAS CHEZ ELLE APRÈS LE MATCH MÊME SI ON DONNAIT DES DÉCAPOTABLES, DES BILLETS DE MILLE DOLLARS ET DES COUPES GLACÉES AU CHOCOLAT !

IL DIT QUE...

TU N'IRAIS PAS ?

7-12

JE VIENS DE LIRE « L'ANGE BANNI » DE THOMAS WOLFE.

TA PROCHAINE ŒUVRE DEVRAIT S'EN INSPIRER

l'ange qui n'était pas banni

J'IMAGINE QUE TON CHIEN NE VEUT PAS JOUER AVEC MOI.

J'IMAGINE QU'IL NE VEUT PAS.

J'IMAGINE QUE C'ÉTAIT VAIN DE LE DEMANDER.

J'IMAGINE QUE OUI.

IMAGINES-TU QUE JE PUISSE REVENIR DEMAIN ?

J'IMAGINE QU'OUI.

J'IMAGINE QUE TU POURRAIS DEVINER QUI C'ÉTAIT.

J'IMAGINE QUE JE LE POURRAIS.

7/14

DIS MARCIE, QU'EN PENSES-TU ? « NAVRÉE, MADAME, DE NE PAS AVOIR FAIT MA DISSERTATION. »

7-15

« UN TRACTEUR-REMORQUE EN CHARNIÈRE OBSTRUAIT L'AUTOROUTE. »

JE PRÉPARE DES PRÉ-TEXTES EN VUE DE LA RENTRÉE SCOLAIRE.

L'ÉCOLE N'EST PAS À PROXI-MITÉ DE L'AU-TOROUTE, MONSIEUR.

LES DÉTAILS IMPOR-TENT PEU, MARCIE.

NE SERAIT-CE PAS PLUS FACILE DE FAIRE LA DISSERTATION.

TU ES TARÉE, MARCIE.

J'AI MAL AU BRAS.

POURQUOI NE ME LAISSES-TU PAS LANCER ? J'AI UN JOLI COUP DE BRAS.

LES LANCEURS N'ONT PAS DE JOLI COUP DE BRAS.

JE PARIE QUE TY COBB AVAIT UN JOLI COUP DE BRAS, ELLE AUSSI !

LES CHIENS OBSERVENT-ILS LES NUAGES ?

SI JE POUVAIS PARLER, JE TE DIRAIS QUE NOUS OBSERVONS LES NUAGES, LES OISEAUX, LA LUNE ET LE RESTE. MAIS UN CHIEN NE PARLE PAS.

JE SUPPOSE QUE LES CHIENS N'OBSERVENT PAS LES NUAGES.

GAMIN IDIOT !

91

LE GRAND AVIATEUR DE LA PREMIÈRE GUERRE MONDIALE PARCOURT UNE TERRE DÉVASTÉE À LA RECHERCHE DE SON FRÈRE SPIKE.

SALUT SPIKE ! COMMENT VA LA VIE DANS LES TRANCHÉES ?

PAS COMME JE M'Y ATTENDAIS.

J'AI VITE REMARQUÉ EN ARRIVANT ICI QU'IL N'Y A PAS DE FONTAINE.

UN AUTRE COLA POUR MON FRÈRE SPIKE, S'IL VOUS PLAÎT.

J'AVAIS UNE COPINE AU PAYS MAIS ELLE A CESSÉ DE M'ÉCRIRE.

JE LÈVE MON VERRE À TOUTES CELLES QUI NE NOUS ÉCRIVENT PLUS.

SALOPES !

IL Y A BEAUCOUP DE COQUELICOTS QUI POUSSENT PAR ICI. JE SONGEAIS À ÉCRIRE UN POÈME SUR LE SUJET

« EN TEL ET TEL LOTS, LES COQUELICOTS FLEURISSENT... »

JE NE PEUX LE TERMINER CAR J'IGNORE OÙ NOUS SOMMES

QU'EST-CE QUE TU DIS DE ÇA ? « AU CHAMPS D'HORREUR, LES COQUELICOTS FLEURISSENT. »

AS-TU DIS « HORREUR » OU « HONNEUR » ?

J'AI DIT « HORREUR ». POURQUOI DIRAIS-JE « HONNEUR » ?

JE NE SAIS PAS... UNE IDÉE EN PASSANT.

7-30

7-31

VOICI MON DERNIER POÈME. DIS-MOI CE QUE TU EN PENSES...

T'AS PAS AIMÉ, HEIN ?

AU RISQUE DE TE DÉCEVOIR, QUELQU'UN D'UN AUTRE RÉGIMENT A ÉCRIT UN POÈME SEMBLABLE AU TIEN.

« AU CHAMPS D'HONNEUR, LES COQUELICOTS FLEURISSENT »

JE VAIS REMPLACER LES COQUELICOTS PAR DES TOURNESOLS.

8-1

PEANUTS.

par Schulz

OH NON !

ENCORE PERDU !

JE NE LE SUPPORTE PAS !

SI NOUS PERDONS UN AUTRE MATCH, JE DEVIENS DINGUE.

ZUT !

8-2

JE NE SUIS PAS MAUVAIS PERDANT ! JE SUIS UN BON PERDANT ! JE SUIS SI BON QUE JE PERDS SOUVENT !

JE NE LE SUPPORTE PAS !

SCHULZ

Cordiales salutations,
ton correspondant.
Charlie Brown

P.-S. : Excuse la
tache d'encre.

Et l'autre tache

ET LE GAMIN SAUTA LA CLÔTURE AVEC SON CHIEN POUR ALLER...

DOIS-TU PARLER SANS CESSE ?

FAUT-IL QUE TU SOIS TOUJOURS BRUYANT ?

EST-CE QUE JE TARTINE TROP BRUYAMMENT À TON GOÛT ?

ZUT ! MON ÉQUIPE A ENCORE PERDU.

CE N'ÉTAIT PAS UN VRAI MATCH MAIS UN FILM.

COMMENT ÇA PEUT-IL ÊTRE UN FILM ? LES JOUEURS ÉTAIENT BEL ET BIEN RÉELS.

QUAND TOUT FUT TERMINÉ, ÉTAIT-CE ÉCRIT « FIN » ?

NOUS SOMMES ENCORE ICI, NON ?

C'EST UNE BALLE NEUVE. JE VAIS LA LANCER ET TU IRAS LA CHERCHER.

NOUS AURONS PLUS DE PLAISIR QUE TU N'EN AS EU TA VIE ENTIÈRE.

8-7

C'EST BON, J'AI MENTI... CE N'EST PAS UNE BALLE NEUVE !

8-8

MON FER DROIT ÉTAIT LÀ... QUE S'EST-IL PASSÉ ?

JE PENSE QU'IL S'EST ENFUI EN RAMPANT.

97

MAMAN DEVRAIT CONSENTIR À CE QUE NOUS AYONS UN CHIEN.

CLOMP!

UN CHIEN POURRAIT ÉGAYER NOTRE EXISTENCE, TU NE CROIS PAS ?

J'AI DÉCIDÉ D'ÉCRIRE UNE LETTRE.

GRAND BIEN TE FASSE !

COMMENT ÉPELLE-T-ON « À PROPOS » ?

COMME ÇA SE PRONONCE : À PROPOS.

8-10

Chère grand-maman. Comment vas-tu ? À propos, merci de ton cadeau de Noël.

TU AS ENCORE PRIS MES BANDES DESSINÉES SANS ME DEMANDER LA PERMISSION !

CE SONT **MES** BANDES DESSINÉES ET JE NE VEUX PAS QUE TU Y TOUCHES !

8-11

SI TU RECOMMENCES, JE T'ASSÈNE UN BON COUP !

HEUREUX QUE NOUS EN AYONS DISCUTÉ.

EN PREMIER LIEU, TU LÈVES TON VERRE...

ENSUITE, TU DIS : À VOTRE SANTÉ !

8-12

IL FAUT S'EXERCER UN PEU.

Chère correspondante,

S'IL S'AGIT D'UNE FILLE, POURQUOI N'ÉCRIS-TU PAS « TRÈS CHÈRE CORRESPONDANTE » OU « MA CORRESPONDANTE CHÉRIE » ?

AVANT DE SIGNER « AVEC TOUTE MON AFFECTION » ?

UN AUTRE CONSEIL ?

N'ENVOIE PAS DE PHOTO.

8-13

Chère correspondante,

EFFORCE-TOI D'ÉCRIRE PLUS LISIBLEMENT.

PLUTÔT QUE DE ME CRITIQUER, POURQUOI NE TE TROUVES-TU PAS UN CORRESPONDANT ?

JE DÉTESTE ÉCRIRE UNE LETTRE.

POUR RECEVOIR DES LETTRES, IL FAUT EN ENVOYER.

TU POURRAIS LES ÉCRIRE À MA PLACE.

8-14

8-15

DIS SPIKE, COMMENT ÇA SE PASSE DANS LES TRANCHÉES ?

DE MAL EN PIS.

ON COMMENCE À COMPTER LES FAUTES DE PIED.

PEANUTS.

par SCHULZ

J'AI UNE IDÉE GÉNIALE.

LAQUELLE ?

POURQUOI N'IRAIS-TU PAS CHERCHER DES GLACES ?

D'ACCORD, J'Y VAIS.

8-16

MERCI... TU EN AS MIS DU TEMPS.

ILS ÉTAIENT PLUSIEURS AVANT MOI.

JE VAIS M'EFFORCER DE DEVENIR QUELQU'UN DE BIEN.

ON DIT QU'UN HOMME DE BIEN VOIT SA VIE DEVENIR MEILLEURE ENCORE.

SI ON S'EFFORCE DE DEVENIR UN CHIEN DE BIEN, ON OBTIENT PARFOIS UN BISCUIT.

8-17

L'ÉCOLE A-T-ELLE COMMENCÉ ?

NON, PAS ENCORE.

DANS CE CAS, NOUS FERIONS MIEUX DE SORTIR DE LÀ.

NOUS ?

8-18

QUE FAIS-TU À LA PORTE D'EN AVANT ? TA GAMELLE DEVRAIT SE TROUVER PRÈS DE LA PORTE D'EN ARRIÈRE.

8-19

 EST-CE QUE J'ÉTAIS MIGNON QUAND J'ÉTAIS BÉBÉ ?

PAS DU TOUT.

EN FAIT, TU ÉTAIS NON MIGNON.

NON MIGNON, BEAUCOUP OU JUSTE UN PEU ?

TU TE RENDS COMPTE QU'IL NE RESTE QU'UN MOIS AVANT LA RENTRÉE SCOLAIRE ?

JE SUIS PRÊTE, PETITE.

JE SUIS ISSUE D'UNE FAMILLE D'ÉCOLES DÉVOUÉES...

NOUS SOMMES TOUTES TRÈS FIÈRES...

NOTRE SŒUR AÎNÉE A UNE NOUVELLE CAFÉTÉRIA.

AU JEU !

JE SUIS PEUT-ÊTRE TROP PETIT POUR JOUER MAIS JE PEUX REGARDER LE MATCH.

ON PRÉTEND QUE SI QUELQU'UN INTERCEPTE UNE MAUVAISE BALLE, IL PEUT L'ÉCHANGER DANS UN CASSE-CROÛTE CONTRE UNE BOISSON GRATUITE.

MAUVAISE BALLE ! JE VAIS L'INTERCEPTER ! JE L'AURAI !

JE L'AI ! LA VOICI !

BIENVENUE AU CASSE-CROÛTE.

ALLÔ CHARLIE !

MON FRÈRE N'EST PAS LÀ. IL EST EN COLONIE DE VACANCES.

8-24

MAIS IL M'A DIT QU'IL N'Y ALLAIT PAS CETTE ANNÉE.

JE NE SAIS PAS... PEUT-ÊTRE A-T-IL CHANGÉ D'IDÉE.

QUOI QU'IL EN SOIT, JE NE PEUX TE PARLER... JE DOIS EMMÉNAGER DANS SA CHAMBRE.

© 1998 United Feature Syndicate, Inc.

QUE SE PASSE-T-IL ICI ?

GRAND FRÈRE ? TU N'ES PAS EN COLONIE DE VACANCES ?

J'ÉTAIS DANS LES MAGASINS. JE M'ABSENTE 30 MINUTES ET TU PRENDS POSSESSION DE MA CHAMBRE ? !

© 1998 United Feature Syndicate, Inc.

C'EST MA NOUVELLE PHILOSOPHIE. « SI TU VOIS UNE CHAMBRE QUI TE PLAÎT, INSTALLE-TOI DEDANS. »

8-25

JE VAIS À LA CUISINE PRENDRE LE PETIT DÉJEUNER. J'Y SERAI ENVIRON UN QUART D'HEURE...

8-26

PENDANT QUE J'Y SERAI, JE T'EN PRIE, N'EMMÉNAGE PAS DANS MA CHAMBRE.

© 1998 United Feature Syndicate, Inc.

JE VAIS RAMENER MES PULLS...

PEANUTS par SCHULZ

ASSISTANCE PSYCHIATRIQUE 5 ¢

LE DOCTEUR EST [LÀ] [SORTI] [À CÔTÉ]

CE DONT IL EST ICI QUESTION, CHARLIE BROWN, C'EST DE COMMUNICATION.

LE DOCTEUR EST [LÀ]

JE NE PARLE PAS NÉCESSAIREMENT DE MOTS... PARFOIS LE LANGAGE DU CORPS NOUS EN APPREND DAVANTAGE...

LE LANGAGE DU CORPS ?

VOILÀ QUI M'INTÉRESSE... LANGAGE DU CORPS, COMMUNICATION...

LE DOCTEUR EST [LÀ]

MA VOLTIGEUSE DROITE EST VRAIMENT IDIOTE. J'ESSAIE DE LUI EXPLIQUER LE JEU MAIS ELLE NE COMPREND RIEN.

C'EST PEUT-ÊTRE LA COMMUNICATION ? QU'EN PENSES-TU ?

8-30

LE DOCTEUR EST [LÀ]

LES PSYCHIATRES AXENT LEUR TRAVAIL SUR LE LANGAGE DU CORPS.

HÉ MARCIE !
COMBIEN DE JOURS
AVANT LA RENTRÉE
SCOLAIRE ?

JE DEVRAI
T'EMPRUNTER
UN CALEPIN ET
DES CRAYONS.

ALORS, COMBIEN
DE JOURS AVANT LA
RENTRÉE SCOLAIRE ?

N'AS-TU PAS DE
CALENDRIER ?

UN QUOI ?

VOICI LA RAISON DE NOTRE EXCURSION, LES GARS. REGARDEZ CE PANORAMA !

♠ K 10 8 6
♥ A 10
♦ K J 5 3
♣ K 9 8

♠ 3 2
♥ 7 5 4 3 2
♦ 4
♣ Q J 10 6 3

♠ J 7
♥ K Q J 9 6
♦ Q 9 8 7 2
♣ 7

♠ A Q 9 5 4
♥ 8
♦ A 10 6
♣ A 5 4 2

9-3

HÉ L'ENTRAÎNEUR ! L'AN PROCHAIN, JE CROIS QUE JE JOUERAI DANS UNE AUTRE ÉQUIPE.

9-4

J'EN AI MARRE DE PERDRE SANS CESSE.

JE SUPPOSE QUE TU VAS AUSSI JOUER AVEC QUELQU'UN D'AUTRE.

JE JOUE POUR CELUI À QUI APPARTIENT LA GAMELLE.

QUE PUIS-JE FAIRE POUR ENCOURAGER TON ÉQUIPE, CHARLES ?

9-5

DOIS-JE CRIER « VIVE LES ROUGES », « VIVE LES BLEUS », « VIVE LES VERTS » OU QUOI ?

JE NE SAIS PAS, RERUN... CRIE CE QUI TE CONVIENT.

VIVE LES T-SHIRTS !

ÇA SEMBLE UN JEU AMUSANT...

COMMENT L'APPELLE-T-ON ?

LE BAVEBALL.

TU DOIS ALLER À L'ÉCOLE DEMAIN. TU NE PEUX RESTER CACHÉ SOUS LE LIT.

L'ÉCOLE A SES BONS CÔTÉS. SONGE À TOUT CE QUE TU VAS APPRENDRE...

À QUI PARLES-TU COMME ÇA ?

OUI, MADAME. J'AI TERMINÉ. J'AI RÉPONDU À TOUTES LES QUESTIONS.

J'AI MÊME AJOUTÉ UNE NOTE EN BAS DE PAGE.

« NETTOYAGE À SEC SEULEMENT. »

JE VOIS QUE TON PETIT FRÈRE A DÉCIDÉ DE SE RENDRE À L'ÉCOLE.

AU MOINS, IL NE SE CACHE PLUS SOUS LE LIT.

IL A PEUT-ÊTRE CHANGÉ D'ATTITUDE.

DITES-MOI POURQUOI JE SUIS ICI ! C'EST TOUT CE QUE JE DEMANDE ! DITES-MOI CE QUE JE FAIS ICI !

ARRÊT

PEANUTS.

par SCHULZ

C'EST IMPOLI DE SOUFFLER SUR LA SOUPE.

MAIS ELLE BRÛLE.

C'EST TOUT DE MÊME IMPOLI.

AAUGH!

MA LANGUE ! MA GORGE ! MON VENTRE !

© 1998 United Feature Syndicate, Inc.

www.snoopy.com

DE L'EAU ! VITE, DE L'EAU !

AAUGHH!!!

C'EST ÉGALEMENT IMPOLI.

9-13

OUI, MADAME, J'AI EMMENÉ MON CHIEN À L'ÉCOLE CAR IL SE SENTAIT SEUL.

9-14

OUI, MADAME. IL EST PLUTÔT FUTÉ.

DIS-LUI QUE JE PEUX ÉPELER « ZAMBONI »

9-15

ENVOIE LE BALLON, MARCIE ! QU'ATTENDS-TU ? MAIS QUE REGARDES-TU COMME ÇA ?

CE N'EST PAS ÉCRIT « ALLÉGÉ ».

PSST, FRANKLIN ! QU'AS-TU RÉPONDU À LA SIXIÈME QUESTION ?

J'AI ÉCRIT « HUIT ».

« HUIT » ? HUIT QUOI ?

RIEN. SEULEMENT HUIT.

J'AI MIS « DOUZE ÉLÉPHANTS »

COMMENT PEUX-TU ÉCRIRE « DOUZE ÉLÉPHANTS » DANS UNE DICTÉE ?

9-16

DANS QUELLE CLASSE SUIS-JE DONC ?

OUI, MADAME. JE SUIS CONVAINCUE QU'ELLE SOMMEILLE.

DOIS-JE LA RÉVEILLER ?

9-17

JE CROIS QUE C'EST LE MOMENT DE SON BIBERON DE DIX HEURES.

9-18

Z

JE NE DORS PAS !

BUREAU DE LA DIRECTRICE

Z

OUI, VOTRE HONNEUR, MON CLIENT ÉTAIT SEUL DANS UN CHAMP À S'OCCUPER DE SES OIGNONS...

QUAND SOUDAIN, IL FUT ATTAQUÉ PAR TROIS CORBEAUX SURGIS D'ON NE SAIT OÙ !

9-19

IL TE DEMANDE DE CESSER DE METTRE DES BRINS DE PAILLE SUR LE SOL.

PEANUTS.

par Schulz

OUI, MADAME, JE SUIS PRÊTE.

MA DISSERTATION EST ICI. EN FAIT, PAS PRÉCISÉMENT ICI...

À VRAI DIRE, MA SECRÉTAIRE L'A EN SA POSSESSION... ELLE L'A TAPÉE HIER SOIR...

CE SOUPIR VIENT-IL DE VOUS, MADAME ?

9-20

HÉ CHARLIE, TU VEUX JOUER AU FOOT DANS L'ARRIÈRE-COUR ?

MOI ET MARCIE POUVONS NOUS Y RENDRE EN MOINS DE DEUX.

JE CROIS QUE NOUS AVONS DÉMÉNAGÉ ET J'IGNORE NOTRE NOUVELLE ADRESSE.

ALORS MARCIE, TU FONCES DROIT DEVANT ET TU COUPES À DROITE.

JE COUPE MIEUX À GAUCHE, MONSIEUR.

SI TU COUPES À GAUCHE, LE BALLON N'Y SERA PAS.

CE N'EST PAS UNE MAUVAISE IDÉE.

UNE FAMEUSE SÉANCE D'ENTRAÎNEMENT, HEIN, MARCIE ?

NON ! JE CRAINS DE M'ÊTRE ROMPU TOUS LES BRAS ET MES TRENTE DOIGTS.

NOUS SOMMES EN TRAIN DE T'ENDURCIR À LA VEILLE D'UNE NOUVELLE SAISON, HEIN ?

JE NE VEUX PAS ÊTRE ENDURCIE.

JE NE TE COMPRENDRAI JAMAIS, MARCIE.

PEANUTS.

par SCHULZ

VIENS, IL FAUT QUE TU VOIES ÇA.

LA LUNE BRILLE ET L'AIR EST FRISQUET.

PAR ICI... NE PERDS PAS MA TRACE.

ÇA FAIT FROID DANS LE DOS, NON ?

TU VOIS ? C'EST L'HEURE DE LA NUIT OÙ LES ZAMBONIS SORTENT DE LEUR ANTRE.

Ligne 1

JE FERAIS BIEN DE ME RENDRE AU PROCHAIN VILLAGE POUR FAIRE LE PIED DE GRUE SUR LA GRAND-RUE...

9-28

ALORS, UNE BEAUTÉ HOLLYWOODIENNE AU VOLANT DE SA DÉCAPOTABLE S'APPROCHERA ET ME PROPOSERA D'ALLER CHEZ ELLE...

www.snoopy.com

AVANT JE DOIS ME DONNER UN LOOK SOPHISTIQUÉ.

© 1998 United Feature Syndicate, Inc.

JE VAIS METTRE MES BASKETS MICKEY.

Schulz

Ligne 2

MAMAN, REGARDE CE DRÔLE DE CHIEN !

www.snoopy.com

QUE FAIT-IL DONC ICI ? JE LUI TROUVE UN DRÔLE D'AIR.

9-29

AS-TU VU SON DRÔLE DE COUVRE-CHEF ET SES DRÔLES DE BASKETS ?

© 1998 United Feature Syndicate, Inc.

LES BASKETS MICKEY NE SONT PAS DRÔLES !

Schulz

Ligne 3

PARFOIS, LORSQU'ON FAIT LE PIED DE GRUE SUR LA GRAND-RUE, UNE BEAUTÉ HOLLYWOODIENNE IMMOBILISE SA DÉCAPOTABLE ET NOUS INVITE CHEZ ELLE...

« CLINIQUE VÉTÉRINAIRE » ?

9-30

POURQUOI EST-CE QUE JE FAIS LE PIED DE GRUE DEVANT UNE CLINIQUE VÉTÉRINAIRE ?

© 1998 United Feature Syndicate, Inc.

LE DOCTEUR VA VOUS RECEVOIR !

Schulz

SPIKE, DORS-TU ? C'EST MOI, NAOMI...

J'AI LU TON NOM SUR TA MÉDAILLE. MA MÈRE EST VÉTÉRINAIRE.

IL DORT ENCORE, MAMAN.

VOIS, IL PORTAIT DES BASKETS MICKEY.

10-1

SPIKE, DORS-TU ? JE PRÉSUME QU'OUI.

MA MÈRE EST VÉTÉRINAIRE...

ELLE A FAIT DES PRÉLÈVEMENTS QUI ONT RÉVÉLÉ TOUT CE QUI CLOCHE CHEZ TOI...

C'EST-À-DIRE TOUT !

10-2

OÙ SUIS-JE ? SUIS-JE À L'HÔPITAL ? IL ME SEMBLE AVOIR ENTENDU ABOYER.

SI J'OUVRE LES YEUX, EST-CE QUE J'APERCEVRAI UNE BEAUTÉ HOLLYWOODIENNE QUI M'INVITERA CHEZ ELLE ?

10-3

NOUS T'AVONS APERÇU DEVANT LA CLINIQUE. MA MÈRE EST VÉTÉRINAIRE EN CHEF ICI. ELLE M'A DIT : « CE CHIEN A MAUVAISE MINE. AMÈNE-LE-MOI. »

10-5

DOMMAGE QUE LES CHIENS NE PUISSENT PARLER. SI TU POUVAIS, TU POURRAIS ME DIRE COMMENT TU TE SENS ET CE À QUOI TU PENSES.

OÙ SONT PASSÉES MES BASKETS MICKEY ?

© 1998 United Feature Syndicate, Inc.

10-6

MAMAN DIT QU'IL TE FAUT DE L'EXERCICE...

NOUS ALLONS DÉAMBULER DANS LE COULOIR CHAQUE JOUR À DEUX REPRISES.

JE NE PEUX DIRIGER LE GOUTTE-À-GOUTTE

© 1998 United Feature Syndicate, Inc.

REGARDE, SPIKE, JE T'AI APPORTÉ DU TAPIOCA.

MAMAN DIT QUE TU AS EU LA MALADIE DE CARRÉ ET QUE TU TE REMETS.

TU POURRAS BIENTÔT RENTRER CHEZ TOI.

10-7

JE NE VEUX PAS GUÉRIR. CETTE VIE ME PLAÎT.

© 1998 United Feature Syndicate, Inc.

DEVINE QUOI, SPIKE. MAMAN DIT QUE TU PEUX RENTRER CHEZ TOI AUJOURD'HUI.

JE DOIS TE PORTER CAR TU ES TROP FAIBLE POUR MARCHER.

C'EST ICI QUE TU VIS ?

VIVRE ?

10-8

MON PLAN CONSISTAIT À ME FAIRE ADOPTER PAR UNE BEAUTÉ HOLLYWOODIENNE MAIS JE ME SUIS RETROUVÉ À L'HÔPITAL PLUTÔT.

QUOI QU'IL EN SOIT, JE SUIS DE RETOUR CHEZ MOI. J'IMAGINE QUE J'AI DE LA VEINE.

10-9

J'AI TOUJOURS MES BASKETS MICKEY ET UN AMI FIDÈLE SUR QUI PRENDRE APPUI.

OUILLE !

MAMAN, JE VIENS D'APERCEVOIR DEUX CHIENS QUI POURRAIENT ÊTRE LES FRÈRES DE SPIKE.

NON, ILS SEMBLAIENT SAVOIR OÙ ILS ALLAIENT.

JE ME DEMANDE POURQUOI CETTE FILLE NOUS RELUQUAIT.

PROBABLEMENT QU'ELLE NOUS ADMIRE.

10-10

PEANUTS.

par SCHULZ

DÉPÊCHONS !

ALLEZ, DANS LA VOITURE, NOUS ALLONS CHEZ GRAND-MAMAN.

DÉSOLÉ, MAIS JE DOIS VOUS QUITTER.

NE SOYEZ PAS TRISTES.

JE N'AIME PAS LES LAISSER SEULS... ILS SEMBLENT PERDUS SANS MOI...

10-11

www.snoopy.com

ILS NE SAVENT QUE FAIRE LORSQUE JE N'Y SUIS PAS.

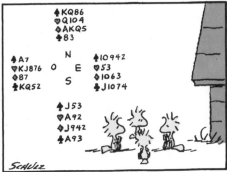

♠KQ86
♥Q104
♦AKQ5
♣83

♠A7   **N**   ♠10942
♥KJ876 O E ♥53
♦87   **S**   ♦1063
♣KQ52   ♣J1074

♠J53
♥A92
♦J942
♣A93

SCHULZ

125

JE DESSINE LE PORTRAIT D'UN TYPE QUI A GRANDI DANS LA JUNGLE ENTOURÉ DE SINGES.

COMME TARZAN.

COMME QUI ?

CETTE HISTOIRE EXISTE DÉJÀ.

ALORS JE VAIS LA MODIFIER.

VOICI LE PORTRAIT D'UN TYPE QUI A GRANDI DANS UNE GALERIE MARCHANDE ENTOURÉ DE SINGES.

JE CROIS QUE TU TIENS LE BON FILON.

© 1998 United Feature Syndicate, Inc.

J'AI DESSINÉ TON CHIEN. VEUX-TU ACHETER SON PORTRAIT ?

www.snoopy.com

10-13

ES-TU UN ARTISTE CRÈVE-LA-FAIM ? SI TU ÉTAIS UN CRÈVE-LA-FAIM, JE L'ACHÈTERAIS.

© 1998 United Feature Syndicate, Inc.

JE N'AI MANGÉ QU'UNE GAUFRE AU PETIT DÉJEUNER.

J'AI FAIT UN AUTRE PORTRAIT DE TON CHIEN. VEUX-TU L'ACHETER ?

10-14

www.snoopy.com

EN COULEURS, CETTE FOIS.

MON CHIEN EST NOIR ET BLANC.

© 1998 United Feature Syndicate, Inc.

QU'AS-TU CONTRE LES CHIENS MAUVES ?

PRÉTENDONS QUE NOUS SOMMES MARIÉS ET QUE MON PÈRE T'OFFRE UN SALAIRE ANNUEL DE UN MILLION DE DOLLARS DANS SON ENTREPRISE.

MAIS DISONS QUE TU TIENS À JOUER DE TON SATANÉ PIANO DANS UN CLUB MAL FAMÉ ET...

KLUNK!

JE N'AI PAS EU LE TEMPS DE PARLER DE LA LIMOUSINE ET DES DÉJEUNERS GRATUITS.

© 1998 United Feature Syndicate, Inc.

10-15

LORSQU'ON EST SEUL DANS LE DÉSERT, ON CHANTE DES COMPLAINTES VANTANT LA SOLITUDE.

10-16

ON CHANTE DES CHANSONS D'AMOUR QUI PARLENT DE LA LUNE, DES ÉTOILES ET DE FORT ALAMO.

© 1998 United Feature Syndicate, Inc.

TU POURRAIS CHANTER EN SYNCHRO.

SCHULZ

TU VOIS ? ELLE DIT DE PRENDRE UN BOL DANS L'ARMOIRE, D'Y VERSER LES CÉRÉALES ET ENSUITE DE METTRE LE LAIT...

© 1998 United Feature Syndicate, Inc.

SCHULZ

10-17

ELLE ENSEIGNE LES RUDIMENTS DE L'ART CULINAIRE.

PEANUTS.

par SCHULZ

VOICI MA DISSERTATION SUR LA CARRIÈRE DE FOOTBALLEUR DE MOÏSE.

OUI, MADAME. VOUS IGNORIEZ QUE MOÏSE... ?

© 1998 United Feature Syndicate, Inc.

QUOI QU'IL EN SOIT, DÈS LE JEUNE ÂGE, MOÏSE MONTRAIT DU TALENT POUR LE FOOT. TOUTES LES ÉQUIPES PROFESSION-NELLES SE L'ARRACHAIENT.

OUI, MADAME. LES ÉQUIPES DE FOOTBALL.

OR, NOUS SAVONS TOUS QU'IL A ESCALADÉ UNE MONTAGNE ET QU'IL EN A RAPPORTÉ DE LOURDES TABLETTES DE PIERRE.

C'EST PROBABLEMENT AINSI QU'IL S'EST BLESSÉ AU BRAS DROIT. APRÈS CELA, IL N'A JAMAIS RÉUSSI À LANCER UNE LONGUE BALLE.

www.snoopy.com

IL NE POUVAIT LANCER QUE SUR DE COURTES DISTANCES.

10-18

VITE IL S'EST OCCUPÉ D'AUTRES CHOSES ET A RENONCÉ AU FOOTBALL.

MA RECHERCHE ? NON, MADAME. MON GRAND-PÈRE... JE CROIS QU'ILS SE SONT CONNUS.

JE SUPPOSE QUE GRAND-PÈRE N'EST PAS AUSSI VIEUX QUE JE LE CROYAIS.

MONSIEUR, COMPARONS NOS NOTES ET VOYONS SI NOUS AVONS LES MÊMES RÉPONSES.

« VRAI, FAUX, PEUT-ÊTRE, QUI SAIT ? POURQUOI PAS ?, D'ACCORD, QUAND ? N'EST-CE PAS ?, QUELQUEFOIS, JE NIE TOUT, QUI, MOI ?, LA NUIT ÉTAIT TOMBÉE ET ILS ÉTAIENT TOUS AFFAMÉS. »

J'IGNORE COMMENT VOUS VOUS Y PRENEZ, MONSIEUR.

IL FAUT TOUJOURS LES SURPRENDRE, MARCIE.

BONJOUR, JE VIENS CE MATIN VOUS PROPOSER UN ABONNEMENT AU BULLETIN «LA GROSSE CITROUILLE ».

DÉGUERPIS VITE, SINON JE LÂCHE MON CHIEN À TES TROUSSES.

DÉSOLÉ, JE NE VOULAIS PAS T'IMPORTUNER.

ÇA VA. NOUS N'AVONS PAS DE CHIEN.

TIENS ! NOUS DONNONS UN BEIGNET À CHAQUE ABONNEMENT AU BULLETIN «LA GROSSE CITROUILLE ».

JE PRENDRAI UN BEIGNET MAIS JE NE LIRAIS PAS TON BULLETIN MÊME S'IL ÉTAIT LA DERNIÈRE PUBLICATION SUR TERRE.

.CHOISIS-EN UN AVEC DE LA NOIX DE COCO

BONJOUR, ES-TU INTÉRESSÉ À T'ABONNER À NOTRE BULLETIN «LA GROSSE CITROUILLE» ?

CONTIENT-IL DES BANDES DESSINÉES ?

10-22

VOUS POURRIEZ FAIRE APPEL À UN DESSINATEUR DE BANDES DESSINÉES.

COMMENT S'APPELLE LE TYPE QUI DESSINE «DILBERT» ?

© 1998 United Feature Syndicate, Inc.

BONJOUR, JE SUIS ICI POUR VOUS PARLER DE «LA GROSSE CITROUILLE».

HÉ, MAMAN ! IL Y A UN FAUX PROPHÈTE À LA PORTE. QUE DOIS-JE LUI DIRE ?

10-23

VRAIMENT ?

© 1998 United Feature Syndicate, Inc.

IL S'EST ENFUI. JE PENSE QU'IL T'A ENTENDUE, MAMAN.

NOUS PUBLIERONS CETTE PHOTO DANS LE PROCHAIN NUMÉRO DE «LA GROSSE CITROUILLE».

NOS LECTEURS Y VERRONT DE FERVENTS CROYANTS ASSIS DANS UN CHAMP DE CITROUILLE, ATTENDANT LA VENUE DE «LA GROSSE CITROUILLE».

10-24

© 1998 United Feature Syndicate, Inc.

AVEC UN PEU DE VEINE, PERSONNE NE NOUS RECONNAÎTRA.

SI ON ME DEMANDE, JE M'APPELLE POMPON.

PEANUTS.

par SCHULZ

LE CÉLÈBRE CHIEN DE GARDE EST TOUJOURS SUR LE QUI-VIVE.

WOUF !

TOUT VA BIEN. RIEN À SIGNALER. MERCI BEAUCOUP !

WOUF !

TOUT VA BIEN. RIEN À SIGNALER. TU ES UN BRAVE CHIEN DE GARDE. RETOURNE TE COUCHER.

OUF !

10-25

ON TENTE DE LES PRÉVENIR QUE LE MONDE EST FOU MAIS ILS N'ÉCOUTENT PAS.

SNOOPY, JE SUIS HEUREUX DE SAVOIR QUE JE PUIS M'OUVRIR À TOI À PROPOS DE « LA GROSSE CITROUILLE ».

10-26

BIEN SÛR, C'EST PEUT-ÊTRE PARCE QUE LES CHIENS CROIENT TOUT CE QU'ON LEUR RACONTE...

LA PLUPART DES CHIENS.

MON FRÈRE N'ARRÊTE PAS DE PARLER DU PHÉNOMÈNE DE « LA GROSSE CITROUILLE ».

JE PENSE PARFOIS QU'IL EST CINGLÉ ET...

10-27

ALORS JE M'INTERROGE SUR LES AUTRES MEMBRES DE MA FAMILLE ET...

NOUS IRONS DE MAISON EN MAISON RÉCLAMER UNE FRIANDISE ET LES GENS NOUS DONNERONT QUELQUE CHOSE.

PEUT-ÊTRE UN VÉLO ?

NON, PAS UN VÉLO. PEUT-ÊTRE UNE ORANGE OU UN BISCUIT.

UN VÉLO, J'AIMERAIS.

TU DOIS ACCEPTER CE QU'ON TE DONNE.

COMMENT J'AI FAIT POUR ME RETROUVER MÊLÉ À CETTE HISTOIRE ?

133

D'ABORD, DIS-MOI CE QUE TU FAIS SUR MA COUVERTURE.

CAR ENFIN, TU N'ES PAS MON CHIEN... CE QUI VEUT DIRE, QUE FABRIQUES-TU ICI ?

TU N'ES APPARENTÉ À AUCUN MEMBRE DE MA FAMILLE NI À AUCUN DE MES COUSINS, NI À QUICONQUE...

DONC, POUR REVENIR À MA PREMIÈRE QUESTION...

QUE FAIS-TU SUR MA COUVERTURE ?

PAUVRE GAMIN ! IL PARLE DANS SON SOMMEIL.

Strip 1 (11-2)

J'AI RÉCOLTÉ DOUZE FRIANDISES, QUATORZE BISCUITS ET TROIS TUBES DE DENTIFRICE.

JE N'AI PAS EU DE VÉLO.

Strip 2 (11-3)

J'ADORE TENIR UN LIVRE NEUF, MARCIE. LA JOLIE COUVERTURE, LA PRÉSENTATION GRAPHIQUE, MÊME L'ODEUR...

T'ARRIVE-T-IL PARFOIS D'EN LIRE UN ?

M'ARRIVE-T-IL QUOI ?

Strip 3 (11-4)

JE N'EN SAIS RIEN. COMMENT PEUX-TU TE COINCER UNE PATTE ENTRE LES BRINDILLES D'UN NID ?

IL Y EN A UN AU DERNIER RANG QUI NE L'A PAS TROUVÉ DRÔLE.

11-5

UN CHIEN NE SONGE JAMAIS QU'À MANGER.

ÊTES-VOUS DONC INCAPABLES D'UNE PENSÉE PLUS PROFONDE ?

11-6

J'AI SOUVENT DE PROFONDES PENSÉES.

J'AI TOUJOURS SU QUE « ROSEBUD » ÉTAIT SON TRAÎNEAU.

IL DIT ÊTRE INTIMIDÉ AU SEIN D'UN GROUPE.

11-7

136

PEANUTS.

par SCHULZ

TIENS ! LIS-MOI CE LIVRE À VOIX HAUTE, GRAND FRÈRE.

POURQUOI NE LIS-TU PAS TOI-MÊME ?

JE HAIS LA LECTURE.

NE LIS QUE LES PASSAGES PASSIONNANTS, SAUTE LES DESCRIPTIONS ET LES CHAPITRES ENNUYEUX.

IL S'APPELAIT DOUGLAS ET UN BEAU JOUR, IL... »

COMMENT ÇA, « IL » ? LIS UN PASSAGE QUI PARLE D'UNE FILLE.

ON DIT QU'UNE FAMILLE DONT LES MEMBRES LISENT EST UNE FAMILLE UNIE.

OÙ AS-TU ENTENDU ÇA ?

JE L'AI LU.

PEUT-ÊTRE QUE QUELQU'UN ME L'A LU.

11-8

OUI, MADAME. PERMISSION DE ME RENDRE À L'INFIRMERIE.

JE SENS MONTER UN ACCÈS D'ANXIÉTÉ...

VITE, MONSIEUR ! SINON, ELLE ARRIVERA AVANT TOI.

AINSI, TU T'ENVOLES VERS LE SUD À L'APPROCHE DE L'HIVER.

TU TE RENDS COMPTE QU'IL S'AGIT D'UN LONG TRAJET.

NON, JE NE VEUX PAS TE PORTER.

SI TU DOIS T'ENVOLER POUR LE SUD, TU FERAIS BIEN DE T'ACTIVER.

EN EFFET, NOUS SOMMES SAMEDI. POURQUOI REFUSES-TU DE VOYAGER LE SAMEDI ?

LES VERS NE TRAVAILLENT PAS LE WEEK-END.

PEANUTS.

par SCHULZ

JE VAIS TENIR LE BALLON, CHARLIE BROWN, ET TOI, TU ACCOURRAS AFIN DE LE BOTTER.

J'EN SUIS CAPABLE.

L'ES-TU ?

TOUT À FAIT ! J'AI UNE NOU-VELLE ATTITUDE POSITIVE.

JE N'Y CROIS PAS ! TU ES VRAIMENT ÉTONNANT. TU PARLES ET TU AGIS COMME UN BRAVE !

AAUGH!

MAIS TU NE SAIS PAS BOTTER UN BALLON.

11-15

NON, JE NE CROIS PAS QUE QUELQU'UN SE RENDE JUSQU'ICI.

11-16

OUI, MADAME. J'AI RÉPONDU « VRAI » À TOUTES LES QUESTIONS.

C'EST QUE, MADAME, JE ME RENDS COMPTE, COMME VOUS DEVEZ VOUS EN RENDRE COMPTE, QUE LE MONDE DANS LEQUEL NOUS ÉVOLUONS N'EST PAS SANS FAILLES, AUSSI...

11-17

UN DÉBUT D'EX-PLICATION TRÈS PROMETTEUR, MONSIEUR.

IL ME FAUT TROUVER UNE BONNE FIN.

DEMANDE À TON CHIEN S'IL VEUT VENIR JOUER DANS LA NEIGE.

11-18

DÉNEIGER N'EST PAS UN JEU.

QUAND TU TE MARIERAS, MARCIE, JE N'IRAI PAS À TA RÉCEPTION-CADEAUX.

SI TU M'AIDES À FAIRE CE DEVOIR, JE VEILLERAI À CE QU'UN JOUR ON ÉRIGE UNE STATUE EN TON HONNEUR.

D'ACCORD. COMMENÇONS À LA PAGE QUATRE...

VEUX-TU ÊTRE SUR UN CHEVAL OU UNE PLANCHE À ROULETTES ?

JE ME FAIS DU SOUCI POUR TON FRÈRE. DEPUIS QUELQUE TEMPS, IL A DE MAUVAISES FRÉQUENTATIONS.

PEANUTS.

par SCHULZ

VOICI LE CÉLÈBRE PATRIOTE QUI EST PRÊT À MOURIR AU COMBAT.

J'AI DIT QUE JE LE LUI DIRAIS ET JE M'EXÉCUTERAI.

11-22

JE CRAINS QU'IL NE VEUILLE PAS ME RECEVOIR.

OUI, MONSIEUR. JE REQUIERS LA PERMISSION DE VOIR LE GÉNÉRAL WASHINGTON.

OUI, JE DIRAIS QUE CELA PROVOQUE DES SOUFFRANCES.

© 1998 United Feature Syndicate, Inc.

OUI, GÉNÉRAL... JE COMPRENDS.

www.snoopy.com

JE SAVAIS QU'IL AVAIT AUTRE CHOSE À FAIRE.

JE LUI AI DIT : « GÉNÉRAL, NOUS PERDONS TOUTES NOS BALLES DE PING-PONG BLANCHES DANS LA NEIGE. »

SCHULZ

JE VAIS FONDER MA PROPRE MAISON DE SONDAGES. VOIS, J'AI NOTÉ MES OPINIONS SUR DES TAS DE SUJETS.

FERAIS-TU DU PORTE-À-PORTE POUR DEMANDER AUX GENS LEUR AVIS ?

QUI SE SOUCIE DE L'AVIS D'AUTRUI ?

« LES DÉTAILS AU BULLETIN DE 23 HEURES. » TELLE EST MA NOUVELLE PHILOSOPHIE.

DEMANDE-MOI CE QUE J'AI FAIT AUJOUR-D'HUI.

QU'AS-TU FAIT AUJOURD'HUI ?

LES DÉTAILS AU BULLETIN DE 23 HEURES !

« ... DANS L'ESPOIR QUE SAINT NICOLAS SERAIT LÀ. »

C'EST MON POÈME PRÉFÉRÉ. TU DEVRAIS ÉCRIRE QUELQUE CHOSE DANS CETTE VEINE.

« C'était le mois avant Noël. »

TOUCHÉ !

WHAP!

BEL ATTRAPÉ, MARCIE !

FABULEUX ATTRAPÉ, MARCIE !

WHAP!

INCROYABLE, MARCIE !

WHAP!

JE T'EN PRIE, MONSIEUR, ASSEZ DE COMPLIMENTS !

11-29

www.snoopy.com

JE ME PENCHE UN PEU VERS L'AVANT POUR AFFRONTER LE VENT VIOLENT QU'ON ANNONCE.

SI TU TE PENCHES UN PEU VERS L'AVANT, TES OREILLES DEVRAIENT FLOTTER AU VENT.

VOILÀ QUI EST MIEUX !

11-30

FERMEZ TOUTES LES ÉCOLES ! FERMEZ TOUTES LES ÉCOLES !

12-1

OUI, MADAME ? JE CRAIGNAIS QUE LE BLIZZARD NE S'ABATTE SUR NOUS.

OUI, MADAME... SORTEZ VOS BOTTES, VIDANGEZ L'ANTIGEL DE VOTRE AUTO, VÉRIFIEZ VOS PROVISIONS DE LÉGUMES ET METTEZ AU REBUT CEUX QUI MONTRENT DES SIGNES DE PUTRÉFACTION.

AUTRE CHOSE ? OUI, MADAME.

12-2

FAITES ENTRER LE CHIEN.

MIDI ?

NAVRÉ DE TE LE DIRE, MAIS TA VIE S'EST ENFUIE PENDANT QUE TU DORMAIS.

MA VIE... ENFUIE ?!

NOM D'UNE PIPE, QU'AI-JE FAIT ?

TOUT CE QUE JE PROJETAIS DE FAIRE, TOUS LES ENDROITS QUE JE VOULAIS VOIR...

J'AI SI HONTE ! MA VIE S'EST ENFUIE. QUE DE TEMPS PERDU EN VAIN !

© 1998 United Feature Syndicate, Inc.
www.snoopy.com

12-6

CE N'EST QU'UNE FAÇON DE PARLER.

Z

« LES OBJETS FLOTTANT DANS LA GAMELLE D'EAU SONT PLUS PRÈS QU'ILS NE SEMBLENT. »

CETTE ANNÉE, JE VAIS SIGNER LES CARTES DE NOËL DE NOS DEUX NOMS

EST-CE QUE ÇA TE VA ? BIEN...

Joyeux Noël de Spike et Joe Cactus

QUAND CELA ? QUAND FAIT-ON LES CHOSES COMME JE L'ENTENDS ?

ON NE SAIT JAMAIS SI LES CHOSES SE DÉROULERONT COMME ON L'ENTEND. PARFOIS ON GAGNE, PARFOIS ON PERD.

JE PRÉFÈRE LE SAVOIR À L'AVANCE.

OUI, MADAME, AU SUJET DE CE LIVRE...

FAUT-IL LE LIRE AU COMPLET ?

C'EST-À-DIRE FAUT-IL LIRE LA PRÉFACE, LA DÉDICACE, L'INTRODUCTION ET LA BIBLIOGRAPHIE ?

12-10

NON, LA LECTURE DE LA PAGINATION NE NOUS EFFRAIE PAS.

UN PEU DE SARCASME, HEIN MADAME ?

© 1998 United Feature Syndicate, Inc.

« ALORS, QU'EN PENSES-TU ? » TELLE EST MA NOUVELLE PHILOSOPHIE. ALORS, QU'EN PENSES-TU ?

DE QUOI ?

12-11

PEU IMPORTE. ALORS, QU'EN PENSES-TU ?

C'EST UNE VRAIE VIE DE CHIEN. N'EST-CE PAS ? ALORS, QU'EN PENSES-TU ?

© 1998 United Feature Syndicate, Inc.

© 1998 United Feature Syndicate, Inc.

JE NE SUIS PAS CERTAIN. REFAISONS UN ESSAI, CETTE FOIS SANS LE NEZ ROUGE.

12-12

ENCORE DES BISCUITS BRÛLÉS.

PEANUTS. par SCHULZ

« MAMAN CHÉRIE, JE T'ÉCRIS DU FOND DE LA VALLÉE OÙ LE FROID EST MORDANT... »

« DANS QUELQUES INSTANTS, J'IRAI FAIRE LE GUET... JE T'ÉCRIRAI DAVANTAGE PLUS TARD. »

JE ME SUIS SOUVENT DEMANDÉ CE QUE JE RÉPONDRAIS SI ON ME DEMANDAIT MA FONCTION DANS CE RÉGIMENT.

12-13

www.snoopy.com

JE CROIS AVOIR TROUVÉ...

JE VEILLE SUR LA NEIGE.

SCHULZ

OUI, MADAME... C'EST UNE VÉRITABLE ARME À DEUX TRANCHANTS, NON ?

LE VERRE EST-IL À MOITIÉ VIDE OU À MOITIÉ PLEIN ? S'AGIT-IL DE SIX UNITÉS DE TELLE SORTE OU D'UNE DEMI-DOUZAINE DE TELLE AUTRE ? EST-CE VRAIMENT POUR LE BIEN PUBLIC ?

12-14

JE VIS POUR ENTENDRE TES RÉPONSES, MONSIEUR.

BONJOUR ! SERAIS-TU INTÉRESSÉE À ACQUÉRIR UN PORTRAIT FAIT MAIN DU PÈRE NOËL ?

12-15

VLAN !

J'EN DÉDUIS PAR TA RÉACTION QUE TU N'ES PAS INTÉRESSÉE.

AIMERAIS-TU ACQUÉRIR UN PORTRAIT FAIT MAIN DU PÈRE NOËL ?

ÇA NE RESSEMBLE PAS AU PÈRE NOËL. ON DIRAIT PLUTÔT LE CANARD DAFFY.

12-16

JE PARIE QUE TU IGNORES QUE JE PEUX DESSINER LE CANARD DAFFY.

J'ÉCRIS AU PÈRE NOËL... QUE DOIS-JE LUI DEMANDER ? UN VÉLO OU UN CHIEN ?

12-17

UN CHIEN, JE PENSE.

TU NE PEUX PAS TOMBER D'UN CHIEN

LORSQUE LE PÈRE NOËL M'OFFRIRA UN CHIEN, JE N'AURAI PLUS À T'EMPRUNTER À TON MAÎTRE.

JE LANCERAI LA BALLE ET MON CHIEN, QUE LE PÈRE NOËL M'OFFRIRA, LA RAPPORTERA.

QUOI QU'IL EN SOIT, JE VEUX TE REMERCIER POUR LES BONS MOMENTS QUE NOUS AVONS PASSÉS ENSEMBLE.

J'APPELLERAI PROBABLEMENT MON NOUVEAU CHIEN PATAUD. JE LUI DIRAI : « PATAUD, VA CHERCHER LA BALLE. »

PRENDS GARDE, PATAUD

12-18

QUAND LE PÈRE NOËL M'APPORTERA MON CHIEN, LE LAISSERA-T-IL SUR LE PORCHE OU DANS L'ARRIÈRE-COUR ? IL NE LE LIVRERA PAS PAR LA CHEMINÉE, N'EST-CE PAS ?

IL Y A UNE CHOSE QUE JE DEVRAIS PROBABLEMENT TE DIRE.

PEUT-ÊTRE QU'IL ME LAISSERA UN CHÈQUE-CADEAU ?

12/19

PEANUTS

par SCHULZ

LINUS, IL FAUT QUE TU M'AIDES À DESSINER UNE CARTE DE NOËL POUR LA PETITE ROUQUINE.

DESSINE UN SAPIN, CHARLIE BROWN, AVEC DES CŒURS ROUGES ACCROCHÉS À SES BRANCHES.

PUIS ÉCRIS UN MOT À SON INTENTION...

QUE FAITES-VOUS ? MON CHER BABOU AIDE MON GRAND FRÈRE À DESSINER UNE CARTE DE NOËL ?

JE NE SUIS PAS TON CHER BABOU ! !

© 1998 United Feature Syndicate, Inc.

12-20

CE SURNOM EST STUPIDE, SUPERMÉGA STUPIDE !

VOILÀ ! QU'EN DIS-TU ? J'AI DESSINÉ UN SAPIN ET DES CŒURS.

« JOYEUX NOËL DE TON CHER BABOU ! »

C'EST UN SURNOM COURANT DANS NOTRE FAMILLE.

OUI, MONSIEUR. JE M'APPELLE RERUN. SAVIEZ-VOUS QUE LE PÈRE NOËL VA M'APPORTER UN CHIEN ?

AUSSI, IL ME FAUT UNE LAISSE, UN COLLIER ET UNE GAMELLE.

12-21

PORTEZ TOUT CELA À MON COMPTE.

J'AI BESOIN D'UN CONSEIL, CHARLIE BROWN

LORSQUE LE PÈRE NOËL M'APPORTERA UN CHIEN, JE DEVRAI APPRENDRE À M'OCCUPER DE LUI.

12-22

MONTRE-MOI À QUEL ENDROIT TU NOURRIS LE TIEN, OÙ IL DORT, J'APPRENDRAI DE TON EXEMPLE.

QUE FAIT CE GAMIN SUR LA PISTE D'ATTERRISSAGE ?

ÉCOUTE UN PEU. MAMAN NE VEUT PAS QUE TU AIES UN CHIEN, N'EST-CE PAS ?

NON.

CROIS-TU VRAIMENT QUE LE PÈRE NOËL T'OFFRIRA UNE CHOSE QUE MAMAN NE VEUT PAS QUE TU POSSÈDES ?

UN AUTRE DOSSIER POUR LA COUR SUPRÊME.

12-23

SNOOPY, QUI SUIS-JE EN TRAIN DE BERNER ?

12-24

LUCY A RAISON. LE PÈRE NOËL N'OFFRIRA JAMAIS UN CHIEN À UN GARÇON DONT LA MÈRE NE VEUT PAS D'UN CHIEN.

AVEC UN PEU DE VEINE, J'AURAI DROIT À DES CHAUSSETTES ET UNE ORANGE.

SI JE REÇOIS UN OS DE CAOUTCHOUC, JE TE LE PRÊTERAI.

JOYEUX NOËL

12-25

12-26

JE VEUX QUE TU COMPRENNES. JE NE ME PLAINS PAS.

JE COMPRENDS.

SEULEMENT, J'AI APPRIS QU'IL NE FAUT PAS TOUJOURS S'ATTENDRE À VOIR NOS VŒUX EXAUCÉS.

ÇA S'APPELLE PRÊCHER À UN CONVERTI.

ENCORE ?!

Chère grand-mère, Merci de l'argent que tu m'as offert à Noël.

J'ai l'intention d'épargner en vue de mes études.

TU AS TOUT DÉPENSÉ HIER.

Tous affirment que je mets le pull-over en valeur.

12-28

Chère autre grand-mère.

« AUTRE GRAND-MÈRE » ?

HIER, J'AI ÉCRIT À UNE GRAND-MÈRE. AUJOURD'HUI, J'ÉCRIS À L'AUTRE.

COMMENT PARVIENS-TU À LES DIF-FÉRENCIER ?

12-29

PEU IMPORTE. LES GRANDS-MÈRES SE RESSEMBLENT TOUTES VUES DE LOIN.

HÉ MARCIE, TU SAIS LE LIVRE QUE NOUS DEVIONS LIRE ? JE L'AI LU DU DÉBUT À LA FIN !

TU VEUX DIRE QUE TU AS VU LE FILM À LA TÉLÉ.

12-30

MAIS J'AI RÉDIGÉ UNE BONNE SYN-THÈSE.

TU VEUX DIRE QUE TU AS PLAGIÉ LE RÉSUMÉ DE LA GRILLE-HORAIRE.

NE ME DEMANDE PAS D'ÊTRE DEMOISELLE D'HONNEUR À TON MARIAGE, MARCIE. JE SUIS ENGAGÉE CE JOUR-LÀ.

CECI ? C'EST UN CALENDRIER.

IL NOUS APPREND LE JOUR, LE MOIS L'ANNÉE.

NON, IL NE T'APPREND PAS OÙ SE TROUVE TA MÈRE.